FREI PATRÍCIO SCIADINI, O.C.D.

Em Oração
com São João da Cruz

EDITORA
SANTUÁRIO

DIRETOR EDITORIAL:
Marcelo C. Araújo

EDITORES:
Avelino Grassi
Márcio F. dos Anjos

COORDENAÇÃO EDITORIAL:
Ana Lúcia de Castro Leite

REVISÃO:
Bruna Marzullo

DIAGRAMAÇÃO:
Simone Godoy

CAPA:
Junior dos Santos

COPIDESQUE:
Eliana Maria Barreto Ferreira

Dados Internacionais de Catalogação na Publicação (CIP)
(Câmara Brasileira do Livro, SP, Brasil)

Sciadini, Patrício, 1945- .
Em oração com São João da Cruz / Patrício Sciadini. – Aparecida, SP: Editora Santuário, 2010.

ISBN 978-85-369-0188-6

1. Espiritualidade 2. João da Cruz, Santo, 1542-1591 3. Orações I. Título.

10-00861   CDD-242.2

Índices para catálogo sistemático:
1. Mensagens de esperança: Oração: Cristianismo 242.2
2. Oração de São João da Cruz: Cristianismo 242.2

6ª impressão

Todos os direitos reservados à **EDITORA SANTUÁRIO** — 2021

Rua Pe. Claro Monteiro, 342 – 12570-000 – Aparecida-SP
Tel.: 12 3104-2000 – Televendas: 0800 - 0 16 00 04
www.editorasantuario.com.br
vendas@editorasantuario.com.br

Sumário

Introdução 5
Breve biografia...................................13
Esquema para rezar com João da Cruz............15

1. Na procura do meu amor 17
2. Nós somos louvor da glória de Deus.........27
3. Renascer de novo..............................35
4. Viver com fé escura e verdadeira............41
5. Viver na esperança certa 51
6. A viva esperança 53
7. Amar a cruz e o sofrimento..................57
8. Revestidos de Jesus Cristo...................63
9. Viver com caridade perfeita 71
10. Na chama viva do Espírito...................79
11. A verdadeira fonte que eu desejo...........87
12. Seja silêncio..................................93
13. O amor repartido 101
14. Caminha na minha presença e sê perfeito.....111
15. Não me sacio de tua beleza.................117
16. Cristo vai com você e em você.............123

Introdução

Ninguém duvida que esta é a hora dos místicos, das pessoas que, cansadas de palavrórios de todos os tipos, desde o teológico ao espiritual, preferem voltar à busca sincera do rosto de Deus e contemplá-lo silenciosamente. Mas para chegar a este encontro nem sempre é fácil caminhar sozinho. Aliás, quase sempre, para não dizer sempre, temos necessidade de encontrar pessoas que tenham percorrido com sucesso esse caminho. A palavra de Deus nos apresenta uma série de pessoas e profetas que foram os grandes buscadores do rosto de Deus e não guardaram para si esta descoberta, mas a transmitiram para nós. A palavra de Deus, a Bíblia, será sempre o livro pedagógico por excelência para todos os que querem buscar o Senhor. E embrenhar-se na Bíblia é estar de ouvidos atentos e de olhos abertos, e não será fácil descortinar – atrás das noites e dos momentos de extrema aridez – o rosto de Deus, a voz suave que ressoa ribombando por todos os lugares e sendo uma presença inquestionável do seu poder e de sua força.

Deus é imprevisível; ao mesmo tempo nos abraça com o calor e carinho de uma mãe e nos chama a atenção para que nos convertamos, permitindo-nos sofrimentos para que, debaixo da dor, possamos reconhecer que é necessário voltar-nos para ele, porque só ele é o único Deus vivo e verdadeiro. É preciso fazer a leitura da Bíblia a partir da janela da contemplação e da experiência e crer que não há felicidade longe dele. E saber que a cada instante somos reenviados a deixar a terra, a fixar morada no deserto ou a comer o pão da escravidão para nos lembrar como Ele é doce e terno. Entre os profetas de Deus, da experiência de amor do Senhor, como não destacar Abraão, Moisés, Elias, Isaías... Todo profeta é alguém que, cansado das palavras humanas, volta a defender com o seu profetismo e testemunho o mesmo Deus que ama, e faz dele o centro de sua existência.

Não há como permanecer perplexo diante de tudo isso. É necessário se jogar, corpo e alma, nesta busca do Senhor. Mas Deus, no seu amor, enviou-nos o seu filho unigênito. É em Jesus que a verdadeira contemplação e experiência mística de Deus assumem o valor infinito e mistagógico, por isso ninguém, na economia da salvação, vai ao Pai se não por Jesus. É ele que nos atrai e ele, e somente ele, que nos revela como chegar, porque Jesus é "caminho, verdade e vida". Há algo de fascinante e de provocante em tudo isso. Necessitamos todos nós de nos aproximarmos de Jesus e irmos, através dele, para o coração da Trindade Santa. É preciso fazer uma leitura contemplativa e mística da vida de Jesus. É por ele, com ele e nele que chegaremos a conhecer e contemplar o rosto do Pai. Conhecemos pouco Jesus, não caminhamos e não trilhamos a sua estrada e por isso nos distanciamos na busca de outros caminhos limitados, frágeis e inseguros.

Não é repetir o que Jesus fez, e nem teríamos condição de fazer isso. Mas é celebrar sua memória. Na memória de Jesus, atualizada e vivenciada especialmente na Eucaristia, é-nos dada a graça de entrar em comunhão, de "permanecer nele e ele em nós". Todas as experiências sensíveis do divino são suspeitosas, a única experiência do divino que não pode cair nem debaixo dos sentidos e nunca é suspeitosa, porque é marcada pela força da fé, é o encontro na Eucaristia, no banquete, memória, alimento. Por isso que Jesus não hesita em dizer: "Quem come minha carne e bebe meu sangue tem a vida eterna e eu o ressuscitarei no último dia (Jo 6,54). A vida eterna, consiste em que conheçam a ti, único Deus verdadeiro, e a Jesus Cristo, que enviaste" (Jo 17,3). Mesmo que isso seja noite para os sentidos, para a razão, é luz para a fé.

Eu gosto muito de ler a poesia "Noite Escura", de São João da Cruz, começando do fim...

1. Em uma noite escura,
De amor em vivas ânsias
inflamadas,
Oh! ditosa ventura!
Saí sem ser notada,
Já minha casa estando
sossegada.

2. Na escuridão, segura,
Pela secreta escada, disfarçada,
Oh! ditosa ventura!
Na escuridão, velada,
Já minha casa estando
sossegada.

3. Em noite tão ditosa,
E num segredo em que
ninguém me via,
Nem eu olhava coisa,
Sem outra luz nem guia
Além da que no coração
me ardia.

4. Essa luz me guiava,
Com mais clareza
que a do meio-dia
Aonde me esperava
Quem eu bem conhecia,
Em sítio onde ninguém
aparecia.

5. Oh! noite que me guiaste,
Oh! noite mais amável
que a alvorada!
Oh! noite que juntaste
Amado com amada,
Amada já no Amado
transformada!

1. Esquecida, quedei-me,
O rosto reclinado
sobre o Amado;
Tudo cessou. Deixei-me,
Largando meu cuidado
Por entre as açucenas
olvidado.

2. Da ameia a brisa amena,
Quando eu os seus cabelos
afagava,
Com sua mão serena
Em meu colo soprava,
E meus sentidos todos
transportava,

3. Em meu peito florido
Que, inteiro, para ele
só guardava,
Quedou-se adormecido,
E eu, terna, o regalava,
E dos cedros o leque
o refrescava.

4. Oh! noite que me guiaste,
Oh! noite mais amável que
a alvorada!
Oh! noite que juntaste
Amado com amada,
Amada já no Amado transfor-
mada!

5. Essa luz me guiava,
Com mais clareza
que a do meio-dia
Aonde me esperava
Quem eu bem conhecia,
Em sítio onde ninguém
aparecia.

6. Em meu peito florido
Que, inteiro, para ele
só guardava,
Quedou-se adormecido,
E eu, terna, o regalava,
E dos cedros o leque
o refrescava.

7. Da ameia a brisa amena,
Quando eu os seus cabelos
afagava,
Com sua mão serena
Em meu colo soprava,
E meus sentidos todos
transportava,

8. Esquecida, quedei-me,
O rosto reclinado sobre
o Amado;
Tudo cessou. Deixei-me,
Largando meu cuidado
Por entre as açucenas
olvidado.

6. Em noite tão ditosa,
E num segredo em
que ninguém me via,
Nem eu olhava coisa,
Sem outra luz nem guia
Além da que no coração
me ardia.

7. Na escuridão, segura,
Pela secreta escada, disfarçada,
Oh! ditosa ventura!
Na escuridão, velada,
Já minha casa estando
sossegada.

8. Em uma noite escura,
De amor em vivas ânsias
inflamadas,
Oh! ditosa ventura!
Saí sem ser notada,
Já minha casa estando
sossegada.

Jesus então é o único mestre, mistagogo e pedagogo da contemplação. Mas Deus no seu amor suscita santos que, mais do que os demais, tiveram a capacidade de nos introduzir neste mistério contemplativo, levando-nos ao centro, na adega mais profunda e íntima, onde ninguém pode perturbar o amor. É claro que a primeira entre todos, mesmo que não esteja formulada, é Maria, que vivia atenta aos toques mais delicados do Espírito Santo, fonte de todo amor e de toda experiência. Maria é, para cada pessoa, modelo da vivência mais plena do mistério da fé, da esperança e do amor. Ela, habitada pela força do Espírito, escolhida por Deus, deu à luz ao Cristo, Messias enviado e Redentor da humanidade.

A palavra dos místicos

Os místicos e contemplativos são muito mais do que nós pensamos. O mal é que damos a esta palavra um valor que não corresponde à "fenomenologia" espiritual. No entanto, nada disto! Contemplar, ser místico, é o encontro com o transcendente que acontece no dia-a-dia da vida. É o ultrapassar os limites do humano e entrar de cheio na esfera divina, revestir-se plenamente do amor infinito de Deus. "É o estar no mundo sem ser do mundo", é deixar-se seduzir pela luz da verdade e persegui-la com todas as nossas forças.

Muitos, ao longo da humanidade, são os místicos presentes em todas as religiões. Na linha bíblico-cristã tem surgido o verdadeiro místico, que tem a experiência do Senhor como mistério trinitário e como amor infinito que não pode ser limitado. Nada de experiência que tem suporte do humano ou de metodologia humana, ou de artifícios, é puro Dom de Deus. É caminho feito de graça, de cooperação, feito de abertura e de dom. É ele, o Senhor da vida, que se comunica totalmente a quem totalmente a ele se dá.

O trabalho que apresento poderia ser feito com Santa Teresa, São Francisco, Santo Agostinho, Santo Anselmo, Santo Tomás de Aquino, com Charles de Foucauld, com Bernardo de Claraval. Mas é claro que por ser carmelita descalço, simples apaixonado e querendo ser imitador de João da Cruz, apresento este mestre indiscutível de contemplação e mística como aquele que nos "toma pela mão", desde a primeira decisão de seguir o Senhor pelo "caminho estreito", e nos leva até o matrimônio espiritual. Poucos têm uma pedagogia tão profunda, clara e compreensiva. Por muito tempo eu considerava os escritos de São João da Cruz como "palavras cruzadas" difíceis de se fazer ou como hieróglifos difíceis para serem interpretados.

Ainda hoje há páginas do Doutor Místico que são frutos de uma "lógica inefável". Mas esta incompreensibilidade é dada não pela obscuridade de João da Cruz, mas pela inexperiência minha. Contudo, hoje posso afirmar que nunca encontrei um autor tão claro, tão decidido e tão pedagógico como João da Cruz. Ele tem a ciência para explicar o que quer dizer e corre o risco de ser repetitivo. Mas é próprio de Deus ser repetitivo e próprio dos santos, dos verdadeiros pedagogos, repetir os mesmos conceitos até que eles se façam mente da nossa mente.

Seguindo João da Cruz nestes quinze dias, teremos a alegria de ir mais "adentro", aprofundar, descer mais a fundo, especialmente nos deixar amar e conduzir pelo Espírito Santo, que, sendo fogo, purifica os nossos sentidos de toda fragilidade humana e de todo pecado que tanto nos atrapalham. Serão tirados dos nossos olhos todos os ciscos para que possamos ver com clareza. Na via mística e contemplativa, não importa saber onde estamos, o que importa é caminhar tentando chegar à meta onde no mais profundo centro da alma está "Deus", e aí nada e ninguém pode perturbar-nos.

É um caminho que deve ser refeito muitas vezes porque se avança sempre, mesmo quando voltamos atrás; não há a preocupação de chegar em dez dias ou em 150 anos, mas sim em caminhar, buscar o Senhor.

Buscai lendo e encontrareis meditando; batei orando e abrir-se-vos-ão contemplando.

Para João da Cruz a vida é uma síntese maravilhosa. Tomás de Aquino escreveu a Suma Teológica, que são livros e livros a não acabar; João da Cruz, em sua síntese teológica mística, também nos ofereceu uma poesia chamada "suma da perfeição".

Olvido do criado.
Memória do Criador.
Atenção ao interior.
E estar amando o Amado.

Que esse caminho seja iluminado por Deus e que todos sejamos como mariposas, atraídos pela luz até nos queimarmos e nos tornarmos, nós mesmos, luzes.

Breve biografia

A vida de João da Cruz é simples. Nasce numa família pobre de artesãos em Fontiveros, provavelmente aos 24 de junho de 1542. Tem uma infância de luta e pobreza. A mãe, uma vez tendo enviuvado, vê-se obrigada a separar-se dele; nós o encontraremos em Medina del Campo como "esmoleiro" para o hospital das Bubas (doenças infecciosas). Sacristão, pintor de parede, entalhador. Como conta a história, trabalhava de dia e estudava à noite. Aos 20 anos decide ser carmelita e inicia a nova aventura de sua vida. Uma vez na Ordem do Carmelo, desejoso de uma vida de ainda maior doação e silêncio, pensa na Cartuxa, mas o encontro com Teresa de Ávila o leva a seguir o novo estilo de vida por ela iniciado, o Carmelo Descalço.

Perseguido, suporta tudo com grande amor e perseverança. É um homem que sabe o que quer e não se deixa desanimar nem com ameaças ou promessas; continua firme o seu caminho de busca. Será no cárcere de Toledo (1578-1579) que encontra o caminho certo e torna-se assim o "poeta de Deus", o poeta do inefável e do misterioso caminho que leva a Deus, um caminho feito de noites, de transformações, de securas, de silêncios de Deus, mas mesmo no silêncio Deus fala forte para nós.

Os seus escritos são uma autobiografia do Santo que não tem medo de contar e revelar o que se passa dentro dele. Esta narração impessoal faz das obras de João da Cruz um referencial para todos os que sentem e querem se aventurar na busca de Deus.

Neles nós encontramos alimento substancioso, é preciso não se deixar desanimar por nada. A palavra de ordem de João da Cruz é: continuar o caminho até o cimo do monte "onde existem só a honra e glória de Deus".

Esquema para rezar com João da Cruz

1. Entrar em oração: silenciar o que nos perturba. Procurar um lugar separado. Abrir o coração à verdade. Não ter nenhuma resistência ao amor. Ser humildade. Renovar a fé. Ser fiel ao longo dos 15 dias, o 16º é como compromisso para o futuro.

2. A leitura deve ser lenta, atenta, amorosa: tentar compreender sempre o que ele diz. Não ter pressa de terminar. É na leitura que muitas vezes Deus se esconde e se manifesta.

3. Silêncio. Depois de cada leitura sempre há um momento de silêncio. Deve ser a confrontação com a palavra lida, através destes três questionamentos:

a. O que a palavra diz? Esmiuçar a palavra, compreendê-la.

b. O que ela me diz neste momento particular que eu estou vivendo? Sempre Deus quer que nós historicizemos a sua palavra na nossa situação concreta.

c. Como devo colocar em prática neste momento esta palavra para poder avançar para o encontro com Deus?

4. A leitura de São João da Cruz foi escolhida a dedo entre tantos textos maravilhosos. É para despertar o desejo de ler os seus escritos.

5. O salmo é ponto de apoio que nos permite entrar em comunhão e se faz mais vida. Ter sempre muito amor para com o silêncio. No início o silêncio se faz agressivo, mas depois se torna doce e necessário.

6. Oração contemplativa. Acompanhar os passos que são indicados no dia-a-dia. Mas deixar abertura para o coração falar o que surge em você. Silenciar e deixar o Senhor falar mais do que ouvir. Não ter pressa de sair da contemplação.

7. Sempre a oração do *Pai-nosso* como modelo de contemplação: Deus Pai, buscar a vontade de Deus, procurar o pão do céu e da terra, ampliar o Reino, perdoar e ser perdoado; ser vencedores das tentações e livres de todo mal...

8. Voltar ao trabalho com seriedade. Ser contemplativo e místico lá onde o Senhor nos quer. Nunca fugir das próprias responsabilidades. E continuar o caminho.

1º DIA

Na procura do meu amor

São João da Cruz é, antes de mais nada, um místico, orante, um apaixonado por Deus. Durante toda a sua vida buscou ansiosamente o Senhor, pediu a todos que o tinham encontrado que lhe indicassem o caminho. É um mestre de oração que nos conta como ele rezava, e não um teórico que tem lido muito sobre a oração e vai somente dizendo como os outros devem rezar. No estilo de Jesus, quando alguém lhe diz "Mestre, ensina-nos a orar", ele diz "Quando rezardes, dizei: Pai nosso!". João da Cruz nos responde "Quando quiserdes encontrar o Senhor, buscai-o sem cessar até encontrá-lo". A terceira estrofe do Cântico espiritual é, sem dúvida, a síntese mais dramática de todos os que buscam a Deus e de como devem procurá-lo. E os perigos que devem superar para encontrar a Deus. Ninguém pode permanecer à espera de que Deus venha, sem fazer nada. É preciso que haja cooperação de nossa parte.

Buscando meus amores,
irei por estes montes e ribeiras;
Não colherei as flores,
nem temerei as feras,
e passarei os fortes e fronteiras.

Vê a alma que para achar o Amado não lhe bastam gemidos e orações, nem tampouco a ajuda de bons terceiros, como fez na primeira canção e na segunda. Sendo verdadeiro o grande desejo com que busca o seu Dileto, e o amor que a inflama muito intenso, não quer deixar de fazer algumas diligências, quanto é possível de sua parte; porque a alma verdadeiramente amorosa de Deus não põe delongas em fazer quanto pode para achar o Filho de Deus, seu Amado. Mesmo depois de haver empregado todas as diligências, não se contenta e julga haver feito nada.

Bem, dá a entender aqui a alma que para achar deveras a Deus, não é suficiente orar de coração e de boca; não basta ainda valer-se de benefícios alheios; mas é preciso, juntamente com isso, fazer de sua parte o que lhe compete. Maior valor costuma ter aos olhos de Deus uma só obra da própria pessoa do que muitas feitas por outras em lugar dela. Por este motivo, lembrando-se a alma das palavras do Amado, "buscai e achareis" (Lc 11,9), determina-se a sair ela mesma para buscar o Esposo por obra, e não ficar sem achá-lo.

A alma que busca a Deus, querendo permanecer em seu gosto e descanso, de noite o busca e, portanto, não o achará; mas a que o buscar pelas obras e pelos exercícios de virtudes, deixando à parte o leito de seus gostos e deleites, esta sim o encontrará, pois o busca de dia (C 3,2-3).

João da Cruz se apoia, para ensinar seu caminho de oração e de busca, sobre três experiências: a experiência de Deus, que está presente na palavra de Deus; a própria experiência pessoal – nunca devemos esquecer-nos que o Cântico Espiritual é a sua mais bela autobiografia, em que em terceira pessoa, sem dizer "eu", conta-nos a sua aventura de amor – e a experiência dos outros. João é diretor espiritual e mistagogo e, tendo escutado muitas pessoas, pode verificar que todas, mais ou menos, percorrem o mesmo caminho e encontram as mesmas dificuldades.

Vamos nos aproximando de um texto muito querido por São João da Cruz, o "Cântico dos cânticos". O livro pequeno, quase que perdido no meio da Bíblia, mas que tem uma experiência única sobre o amor. O amor é mais forte do que a morte. E ninguém pode resistir às suas ondas impetuosas. No amor somos nascidos, pelo amor vivemos, e com amor nos manifestamos aos demais que vivem conosco. O amor é a força-mestra de todo o nosso agir. Ou agimos por amor ou pelo seu contrário, o ódio, que não é outra realidade senão um amor desequilibrado e enlouquecido. Quem vive com indiferença nunca experimenta a alegria do amor e a luta para que o desamor não estrague a nossa existência.

Durmo, mas o meu coração vigia

Eu estava dormindo, mas meu coração velava.
Atenção! O meu amado está batendo.
Ele.
Abre, minha irmã e minha noiva,
minha pomba, meu primor!
Pois tenho a cabeça borrifada de orvalho,
e do sereno da noite, minha cabeleira.
Ela.
Já despi minha túnica:
hei de vesti-la novamente?

Já lavei os pés:
hei de sujá-los outra vez?
O meu amado meteu a mão na fechadura,
fazendo-me estremecer em meu íntimo.
Em busca do amado.
Ela.
Levantei-me para abrir ao meu amado,
minhas mãos gotejando mirra;
de meus dedos a mirra escorria
sobre o trinco da fechadura.
E então abri ao meu amado,
mas o meu amado já se tinha ido, já se tinha retirado.
Ansiei loucamente por falar-lhe:
procurei, mas não o encontrei;
chamei, mas não me respondeu.
Encontraram-me os guardas que faziam a ronda da cidade:
espancaram-me e me feriram;
arrancaram-me o manto as sentinelas das muralhas.
Conjuro-vos, ó filhas de Jerusalém:
se encontrardes o meu amado,
anunciai-lhe que desfaleço de amor!

Ct 5,2-8

Releia atentamente este texto e se pergunte: O que ele diz? O que me diz neste momento particular da minha vida? E como eu posso colocá-lo em prática? Não podemos ser só "ouvintes da palavra", mas sim praticantes da palavra. Só quando deixamos de ser conhecedores da palavra pela inteligência e começamos a revestir a palavra com a nossa carne, tornando-a vida, aí sentiremos todas as dores e ânsias da gestação do parto da palavra de Deus.

Pausa de silêncio para refletir

Neste caminho de oração muitas vezes encontraremos a palavra "silêncio". É bom resgatar o valor do silêncio como diálogo, amor, como cura, e especialmente como o único caminho de autoconhecimento. Só no silêncio nos é permitido espelhar-nos e reconhecer quem somos nós. Silenciar exige um longo caminho para que o mundo, o relativo, o passageiro, não nos perturbe.

Passar momentos de silêncio para "ruminar" esta palavra de Deus. Lembro que este texto do Cântico por muito tempo foi para mim o "pão doce-amargo". Quando os ventos da tempestade e do desamor tentavam relativizar as minhas decisões de vida, as opções e especialmente a busca da radicalidade da vivência do Cristo. Não se pode caminhar sem ter Deus como luz e Cristo como "caminho, verdade e vida".

Palavra do mestre João da Cruz

Este trecho é tirado do Cântico Espiritual, no qual João da Cruz vai revelar-nos onde Deus está escondido e o que devemos fazer para poder encontrá-lo.

Deus está escondido em ti

Onde é que te escondeste,
amado, e me deixaste com gemido?
Como o cervo fugiste,
havendo-me ferido;
saí, por ti clamando, e eras já ido.

Para que esta alma sequiosa venha a encontrar o Esposo e unir-se a ele, por união de amor, conforme é possível nesta vida, e consiga entreter sua sede com esta gota que do Amado se pode gozar aqui na Terra, será bom que lhe respondamos em nome do Esposo a quem ela se dirige. Vamos, portanto, mostrar-lhe o lugar mais certo onde ele está escondido, e aí possa a alma achá-lo seguramente, com a perfeição e o deleite compatíveis com esta vida; deste modo não irá a alma errante, e em vão, atrás das pisadas das companheiras.

Para alcançar este fim, é necessário observar aqui o seguinte: o Verbo, Filho de Deus, juntamente com o Pai e o Espírito Santo, está essencial e presencialmente escondido no íntimo ser da alma. Para achá-lo, deve, portanto, sair de todas as coisas segundo a inclinação e a vontade e entrar em sumo recolhimento dentro de si mesmo, considerando todas as coisas como se não existissem. Santo Agostinho assim dizia, falando com Deus no Solilóquios: "Não te achava fora, Senhor, porque mal te buscava fora, estando tu dentro" (Sol. 31). Está Deus, pois, escondido na alma, e aí o há de buscar com amor contemplativo, dizendo: Onde é que te escondeste?

Eia, pois, ó alma formosíssima entre todas as criaturas, que tanto desejas saber o lugar onde está teu Amado, a fim de o buscares e a ele te unires! Já te foi dito que és tu mesmo o aposento onde ele mora, o retiro e esconderijo em que se oculta. Nisto tens motivo de grande contentamento e alegria, vendo como todo o teu bem e esperança se acham tão perto de ti, a ponto de estarem dentro de ti; ou, por melhor dizer, não podes estar sem ele. Vede, diz o Esposo, que o reino de

Deus está dentro de vós (Lc 17,21). E o seu servo, o apóstolo S. Paulo, o confirma: "Vós sois o templo de Deus" (2Cor 5,16).

Grande consolação traz à alma o entender que jamais lhe falta Deus, mesmo quando se achasse (ela) em pecado mortal; quanto mais estará presente naquela que se acha em estado de graça! Que mais queres, ó alma, e que mais buscas fora de ti, se tens dentro de ti tuas riquezas, teus deleites, tua satisfação, tua fartura e teu reino, que é teu Amado a quem procuras e desejas? Goza-te e alegra-te em teu interior recolhimento com ele, pois o tens tão próximo. Aí o deseja, aí o adora, e não vás buscá-lo fora de ti, porque te distrairás e cansarás; não o acharás nem gozarás com maior segurança, nem mais depressa, nem mais de perto, do que dentro de ti.

Há somente uma coisa: embora esteja dentro de ti, está escondido. Mas já é grande coisa saber o lugar onde ele se esconde, para o buscar ali com certeza. É isto o que pedes também aqui, ó alma, quando, com afeto de amor, exclamas:

Onde é que te escondeste?

Cântico Espiritual 1,6-8

Pausa de silêncio para refletir

Neste silêncio acontece a confrontação com o que São João da Cruz diz para mim e como colocar em prática. É preciso reler e mastigar o texto, não ter pressa de passar adiante, e nem tampouco de correr. Na oração se aprende a esperar "as demoras de Deus".

Complete esse texto com a leitura meditativa do Salmo 62:

Só em Deus minha alma descansa,
dele me vem a salvação.
Só ele é minha rocha e salvação
e meu baluarte: jamais vacilarei.
Até quando vos lançareis sobre um homem
para abatê-lo, de comum acordo,
como uma parede inclinada
ou um muro prestes a ruir?
Derrubá-lo de sua posição é seu único intento,
e se comprazem na mentira;
com a boca bendizem,
mas no coração amaldiçoam.
Só em Deus descansa, minha alma,
porque dele me vem a esperança.
Só ele é minha rocha de salvação
e meu baluarte: não vacilarei.
De Deus depende minha salvação e glória;
Deus é minha rocha firme, meu refúgio.
Confia nele, ó povo, todo o tempo,
desafoga diante dele o coração!
Deus é nosso refúgio.
Os filhos dos homens não são mais que um sopro,
e as pessoas importantes, mera aparência.
Todos juntos, na balança,
pesariam menos que um sopro.
Não confieis na extorsão
nem vos façais ilusões com o roubo!
Ainda que cresçam vossas riquezas,

não lhes deis o coração!
Uma coisa Deus disse,
e duas eu ouvi:
Que o poder vem de Deus,
de ti, Senhor, a misericórdia;
e que pagas a cada um
segundo suas obras.

Silêncio para interiorizar essas palavras do Senhor e fazer-se "caixa de ressonância", para que as frases, até agora lidas ou meditadas, possam vir à consciência e ser saboreadas com mais intimidade e mais amor. Não há nenhuma pressa e nenhuma preocupação exegética. É assumir a palavra como ela soa e recorda, como é celebrativa na memória e como nos convida a entrar em oração, em diálogo com o Senhor da vida e do amor.

Oração contemplativa

Deixe agora o seu espírito "navegar no silêncio", no oceano do amor, sem esforço. Faça vir à mente todas as intenções pelas quais você quer rezar, deixe vir as pessoas que ama e as que não ama, faça do seu coração o grande "cenáculo", de onde ninguém pode ficar fora, escancare as portas para que todos possam ser parte viva da sua história, de você mesmo.

Quais intenções? A Igreja, o Papa, o mundo, as crianças famintas, a sua família... Escolha duas ou três intenções e transforme-as em oração de súplica, de intercessão.

Quais pessoas lhe vêm, neste momento, em sua mente e em seu coração? Faça de todas uma "ladainha" de amor, um grupo de amigos. Não seja rival de ninguém, mas amigo de todos. Reze por quatro ou cinco pessoas que você vai escolhendo. Quem? Por quê?

Peça a Maria que seja sua mãe e mestra de oração, que ela "reeduque o seu coração". Não tenha medo, na oração não se pode ter medo. Deus, Pai-Mãe, sabe compreender os dramas do nosso coração. Deixe-se amar para crescer no amor.

Voltar à ação

João da Cruz foi homem orante e ativo.

Sempre depois de rezar nos espera a confrontação da vida. O que você quer levar para a sua vida? Como trabalhar o que aprendemos nesta escola de oração com Deus e João da Cruz?

Reze lentamente o *Pai-nosso* e faça desta oração o projeto de sua vida, do seu caminho. Vá com coragem no bulício da vida, nos contrastes da vida, nos conflitos, e não tenha medo, porque você não vai sozinho.

Deus, o Pai, o Filho, o Espírito Santo estão dentro de você. Amém.

Ó Senhor, Deus meu! Quem te buscará com amor tão puro e singelo que deixe de te encontrar, conforme o desejo de sua vontade, se és tu o primeiro a mostrar-te e a sair ao encontro daqueles que te desejam?

2º DIA

Nós somos louvor da glória de Deus

Quem encontra Deus não é para si mesmo, mas para comunicá-lo; é como fonte de Água Viva que jorra dentro de nós e se transforma em torrentes que não podem estar paradas, e em chama que nada e ninguém poderá extinguir. Somos chamados à santidade. Esta palavra nos faz medo e nos seduz. Tente você, antes de entrar em oração, responder: o que você entende por "santidade"? O que você percebe que Deus lhe pede para ser? Tem medo de deixar-se queimar pelo fogo do amor infinito de Deus? Para ser luz para os demais?

Louvor de sua glória

Paulo, apóstolo de Jesus Cristo pela vontade de Deus aos santos e aos fiéis em Cristo Jesus.

Estejam convosco a graça e a paz da parte de Deus, nosso Pai, e do Senhor Jesus Cristo.

Bendito seja o Deus e Pai de Nosso Senhor Jesus Cristo que dos céus nos agraciou com toda a bênção espiritual em Cristo. Assim, antes da constituição do mundo, escolheu-nos em Cristo, para sermos em amor santos e imaculados a seus olhos, predestinando-nos à adoção de filhos por Jesus Cristo, conforme o beneplácito de sua vontade, para louvor da glória de sua graça com que nos agraciou em seu Bem-amado.

Nele temos a redenção pela virtude de seu sangue, a remissão dos pecados, segundo a riqueza de sua graça, que derramou profusamente em nós, com toda a sabedoria e inteligência. Deu-nos a conhecer o mistério de sua vontade, conforme o beneplácito que em Cristo se propôs, a fim de realizá-lo na plenitude dos tempos: unir sob uma cabeça todas as coisas em Cristo, tanto as que estão no céu como as que estão na Terra.

Nele, em quem fomos escolhidos herdeiros, predestinados que éramos segundo o desígnio daquele que faz todas as coisas de acordo com a decisão de sua vontade, para sermos nós o louvor de sua glória, todos quantos já antes esperávamos em Cristo (Ef 1,1-12).

Paulo apóstolo é um apaixonado pelo Senhor. Ele se deixa seduzir e sabe que sua vida tem sentido somente se transforma-se em Deus e se torna um com ele, por isso a vocação de ser louvor de glória. O mundo poderia ser definido como "luz". Tudo é luz, tudo iluminado, a noite é mais clara do que o dia. Só que são luzes artificiais, que não brilham com luz própria. Somente Deus é luz. Somente Jesus é fonte de luz, a nossa pálida luz é reflexo da luz infinita de Deus.

Pausa de silêncio para refletir

Abra o seu coração ao silêncio, recolha-se dentro do castelo "interior de sua alma" e tente compreender plenamente as palavras de Paulo apóstolo. Não tenha pressa, aprenda a estar em silêncio de modo que interiorizando tudo desapareça todo barulho, toda confusão e toda distância, e todos os movimentos dos sentidos menos puros sejam purificados.

Agora leia e medite esta belíssima página de Elisabete da Trindade, que encontrou a sua vocação ao ler este texto de Paulo "ser louvor de glória". Mas o que quer dizer isto?

Medite atentamente:

> Um louvor de glória: é uma alma que permanece em Deus, que o ama com um amor puro e desinteressado, sem buscar-se a si mesmo na doçura desse amor; que o ama acima de todos os seus dons, e amaria ainda que nada tivesse dele recebido, e que deseja o bem ao objeto assim amado. Ora, como desejar e querer efetivamente algum bem a Deus, senão pelo cumprimento exato de sua vontade, uma vez que essa vontade encaminha todas as coisas para a sua maior glória? Portanto, essa alma deve entregar-se a ele plena e inteiramente, até não conseguir mais querer outra coisa senão o que Deus quer.
>
> Um louvor de glória: é uma alma de silêncio, que permanece como uma lira, sob o toque misterioso do Espírito Santo, que nela produz harmonias divinas. Ela sabe que o sofrimento é uma corda que produz sons mais belos ainda e por isso gosta de vê-la no seu instrumento, para comover, mais ternamente, o coração de seu Deus.
>
> Um louvor de glória: é uma alma que contempla a Deus, na fé e na simplicidade; é um reflexo do Ser de Deus. É como um abismo sem fundo, no qual ele pode derramar-se, expandir-se. É também como um cristal, através do qual Deus pode irradiar e contemplar todas as suas perfeições e o seu próprio resplendor. Uma alma que permite,

deste modo, ao Ser divino satisfazer nela sua necessidade de comunicar tudo quanto ele é e tudo quanto possui, é realmente o louvor de glória de todos os seus dons. Enfim, um louvor de glória é um ser em contínua ação de graças. Cada um de seus atos e movimentos, cada um de seus pensamentos e de suas aspirações, fixam-na mais profundamente no amor e são como que um eco do *Sanctus* eterno.

Céu na Terra 43

Não se pode fugir de si mesmo. Somos chamados a encontrar o Senhor e tornar-nos seus sinais vivos, de uma presença amorosa da infinitude de infinito. Rezar é esvaziar-nos de nós mesmos e fazer-nos vazios de tudo o que somos para estar com o Senhor da vida. João da Cruz, nesta oração da alma enamorada, mostra-nos como há só um absoluto, Deus; o resto é tudo relativo. As coisas nos prendem e nos machucam. O centro é só Deus, nada podemos colocar no centro ou perderemos esta visão e transformar tantas coisas em ídolos que não podem mais nos fazer felizes.

Senhor Deus, Amado meu! Se ainda te recordas dos meus pecados, para não fazeres o que ando pedindo, faze neles, Deus meu, a tua vontade, pois é o que eu mais quero: exerce neles a tua bondade e misericórdia e serás neles conhecido. E, se esperas por obras minhas, para por meio delas me concederes o que te rogo, dá-mas tu e opera-as tu por mim, e venham também as penas que quiseres aceitar e façam-se. Mas se pelas minhas obras não esperas, por que esperas, clementíssimo Senhor meu? Por que tardas? Porque, se, enfim, há de ser graça e misericórdia o que em teu Filho te peço, toma os meus parcos haveres, pois os queres, e dá-me este bem, pois que tu também o queres.

Quem se poderá libertar de seu baixo modo de agir e de sua condição imperfeita, se não o levantas tu a ti em pureza de amor, Deus meu?

Como se elevará a ti o homem gerado e criado em baixezas, se tu não o levantares, Senhor, com a mão com que o fizeste?

Não me tirarás, Deus meu, o que uma vez me deste em teu único Filho Jesus Cristo, em quem me deste tudo quanto quero; por isso folgarei, pois não tardarás, se eu confiar.

Por que tardas em esperar, ó minha alma, se desde já podes amar a Deus em teu coração?

O céu é meu e minha a terra, meus são os homens, os justos são meus e meus os pecadores. Os anjos são meus, e a Mãe de Deus e todas as coisas são minhas. O próprio Deus é meu e para mim, porque Cristo é meu e todo para mim. Que pedes pois e buscas, ó minha alma? Tudo isto é teu e tudo para ti.

Não te rebaixes nem atentes nas migalhas caídas da mesa de teu Pai.

Pausa de silêncio para refletir

Já silenciou o que agita as águas do seu coração? O que preocupa você? Deixe que as preocupações, uma a uma, sejam colocadas no coração de Deus e que nada fique em você como peso. "Vinde a mim todos os que estais cansados e abatidos, e eu vos aliviarei!"

Mastigue bem e medite, remoendo a dura casca das palavras, o que diz São João da Cruz. Vá repetindo para você frases, palavras que têm um sentido todo próprio.

Nesta sua reflexão pode ser de grande ajuda o Salmo 18. É um salmo que nos faz compreender que as palavras, sentimentos, afetos, são simples balbucios diante do Senhor, e nada mais. Não queira entender o mistério, mas somente o ame.

Ardentemente eu te amo,
Senhor, minha força,
Senhor, minha rocha, minha fortaleza e meu refúgio,
meu Deus, rochedo em que me abrigo,
meu escudo, meu penedo de salvação, meu baluarte!
Invoco o Senhor, que é digno de ser louvado,
e dos inimigos serei salvo.
Cercavam-me laços funestos,
apavoravam-me torrentes traiçoeiras,
envolviam-me laços infernais,
esperavam-me ciladas da morte,
quando, no perigo, invoquei o Senhor,
pedindo socorro ao meu Deus.
Do templo ele ouviu minha voz,
e meu grito de socorro chegou aos seus ouvidos...
Debruçou-se do alto e segurou-me
para tirar-me das águas caudalosas.
Livrou-me de inimigos poderosos,
de adversários mais fortes que eu.
Enfrentaram-me no dia de minha desventura,
mas o Senhor foi meu apoio.
Ele me trouxe para um lugar aberto;
libertou-me, porque me ama...
És tu que salvas o povo humilde
e humilhas os olhos arrogantes.

És tu que manténs acesa minha lâmpada
e iluminas minhas trevas, ó Senhor meu Deus...
Por isso, Senhor, eu te darei graças entre as nações,
entoando hinos a teu nome.
É ele que dá grandes vitórias a seu rei
e provas de benevolência a seu Ungido,
a Davi e sua linhagem para sempre.

Pausa de silêncio para refletir

Agora é o momento da interiorização. A palavra se faz espelho, reflete a nossa imagem, a palavra se faz questionamento, a palavra tenta se fazer carne em nós. Faz-se oração.

Quem são os seus "amados"? Coisas, criaturas, dinheiro, bens, jogos, bebidas, filmes, TV, músicas, afetos desordenados, sexo? Escolhe dois ou três amados que devem ser eliminados de sua vida... Como eles entraram, como eles dominam você? Não tenha medo, seja "forte e corajoso"!

Quais são os verdadeiros amados que levam você a Deus? Pessoas, coisas, apostolados. Procure saber discernir o que é mais importante para você: ser de Deus.

Como purificar e como melhorar tudo isso?

Deus é o seu único amado?

Reze docemente o *Pai-nosso*.

Que compromisso você assume voltando ao trabalho, na vida? Seja fiel no seu compromisso para nele encontrar o rosto do Amado.

O estado de união consiste na transformação total da vontade humana na divina, de modo que nela nada haja de contrário a essa vontade, mas seja sempre movida, em tudo, pela vontade de Deus. Por isso dizemos que, nesse estado, as duas vontades formam uma só – a de Deus.

3º DIA

Renascer de novo

Prepare-se para entrar em oração. Silencie o seu coração, deixe as ocupações e lentamente reze o "Vinde, Espírito Santo" para que todo o seu ser possa tranquilizar-se e assim comunicar-se com perfeita harmonia, entrando no seio da Trindade Santa. Iremos meditar sobre o processo doloroso e gozoso de *renascer de novo*. Todo renascimento exige que antes morramos, nos despojemos, saiamos da nossa terra e entremos em novos mundos e novas terras feitas de amor.

Nicodemos

Havia, entre os fariseus, um homem chamado Nicodemos, um judeu importante. De noite ele foi falar com Jesus e lhe disse: "Rabi, sabemos que vieste como Mestre da parte de Deus, pois ninguém pode fazer os sinais que fazes, se Deus não estiver com ele".

Jesus respondeu: "Na verdade eu te digo: quem não nascer do alto não pode ver o reino de Deus". Nicodemos perguntou-lhe: "Como pode nascer alguém que já é velho? Acaso pode entrar de novo no ventre da mãe e nascer?". Jesus respondeu: "Na verdade eu te digo: quem não nascer da água e do Espírito Santo não pode entrar no reino de Deus. O que nasceu da carne é carne; o que nasceu do Espírito é espírito. Não te admires de eu ter dito: deveis nascer do alto. O vento sopra onde quer; tu ouves o barulho, mas não sabes de onde vem nem para onde vai. Assim é todo aquele que nasceu do Espírito" (Jo 3,1-8).

Esse texto sempre me desperta grande interesse. Nicodemos sabe das coisas da Terra, mas não das do céu. Tem medo dos seus colegas e vai procurar Jesus de noite. É acolhido amorosamente. Sempre Jesus nos recebe na hora e no momento em que decidimos ir até ele.

Pausa de silêncio para refletir

Veja com sinceridade dentro de você, relendo atentamente o texto de Nicodemos, fazendo dele um seu amigo e companheiro. Quais são os "renasceres" que o Senhor exige de você neste momento histórico de sua vida? Não tenha medo de olhar bem dentro de você. Quais rupturas?

É interessante e pedagógico olhar para trás e ver quantas vezes você foi procurar Jesus para pedir-lhe conselhos, para renascer de novo. Quantas vezes já foi obrigado, para seguir Jesus, "renascer"?

Renascer no espírito

Isso quis dizer-nos São João nestas palavras: "Que não nasceram do sangue, nem da vontade da carne, nem da vontade do varão, mas de Deus" (Jo 1,13). É como se dissesse: o poder de se tornarem filhos de Deus e de nele se transformarem é dado somente aos que não são nascidos no sangue, isto é, das disposições naturais; nem da vontade da carne ou do alvedrio da habilidade e capacidade natural, menos ainda da vontade do homem; e nisto se entende toda maneira e modo humano de julgar e conceber segundo a razão. A nenhum desses foi dado o poder de se tornarem filhos de Deus, senão àqueles que nasceram de Deus, ou, em outras palavras, aos que, voluntariamente mortos ao velho homem, são elevados até a vida sobrenatural, recebendo de Deus a regeneração e a filiação divina, que é acima de tudo o que se pode pensar. Porque, como diz o mesmo apóstolo noutra passagem: "Quem não renascer da água e do Espírito Santo, não pode entrar no reino de Deus" (Jo 3,5). Isto é, quem não renascer do Espírito Santo jamais verá o reino de Deus que é o estado de perfeição. Ora, renascer do Espírito Santo nesta vida é tornar-se semelhante a Deus por uma pureza que não admite mescla de imperfeição; somente assim é realizada a transformação perfeita, por participação de união, embora não essencialmente.

Façamos uma comparação para melhor explicar o nosso assunto. Se o raio de sol vier refletir-se sobre um vidro manchado ou embaçado, não poderá fazê-lo brilhar, nem o transformará em sua luz de modo total, como faria se o vidro estivesse limpo e isento de qualquer mancha; este só resplandecerá na proporção de sua pureza e limpidez. O defeito não é do raio, mas do vidro; porque, se o vidro estivesse perfeitamente límpido e puro, seria de tal modo iluminado e transformado pelo raio que pareceria o mesmo raio, e daria a mesma luz. Na verdade, o vidro, embora fique parecendo raio de luz, conserva sua natureza distinta; contudo podemos dizer que, assim transformado, fica sendo raio ou luz por participação. Assemelha-se a esse vidro a alma sobre a qual investe incessantemente – ou por melhor dizer, nela reside – esta divina luz do ser de Deus por natureza, conforme já explicamos.

Logo que a alma se disponha, tirando de si todo véu e mancha de criatura, tendo sua vontade perfeitamente unida à de Deus – porque o amor consiste em despojar-se e desapegar-se, por Deus, de tudo que não é ele –, fica transformada naquele que lhe comunica o ser sobrenatural, de tal maneira que parece o mesmo Deus, e tem em si mesma tudo o que Deus tem. Essa união se realiza quando o Senhor faz à alma esta sobrenatural mercê, por meio da qual todas as coisas divinas e a alma se unificam por transformação participante: a alma, então, mais parece Deus que ela mesma, e se torna Deus por participação, embora conserve seu ser natural, tão distinto de Deus quanto antes, nessa atual transformação; assim como o vidro continua sempre distinto do raio que nele reverbera (2S 5,5-7).

João da Cruz é mestre e sabe das coisas. Ele fala do que sabe e dá conselho certeiro do que ele mesmo tem experimentado em sua vida. A Subida do Monte Carmelo não é um escrito fácil para se compreender e é ainda menos fácil para ser vivenciado. É necessário não ter medo de subir o monte. Sempre que tentamos subir a montanha cansamo-nos com mais facilidade, mas quando chegamos no cimo podemos contemplar com plena liberdade o horizonte vasto, o azul do céu. Assim, a verdadeira liberdade é saber libertar-se de todas as escravidões. É a condição para renascer.

Pausa de silêncio para refletir

Releia calmamente São João da Cruz, especialmente a parábola da vidraça. Você é um vidro cristalino, límpido? O que é necessário limpar para não ofuscar a luz do mesmo Deus? Quais pecados impedem você de ser livre? Não importa que sejam grandes. Não esqueça o que diz o Mestre João da Cruz: "que um passarinho esteja amarrado com uma linha ou com uma corda, é a mesma coisa. Ele não pode voar".

Quem entrará no templo santo?

Este salmo é um exame de consciência, uma revisão de vida. É só assimilá-lo e se confrontar com a mensagem da palavra do Senhor. Suas mãos são puras, inocentes? A sua pessoa é honesta no trabalho, é justa nos seus deveres?

> Do Senhor é a terra e quanto ela contém,
> o orbe da terra e quantos nela habitam,
> pois foi ele quem a construiu sobre os mares
> e sobre os rios a consolidou.
> Quem pode subir ao monte do Senhor?
> Quem pode estar no lugar santo?
> Aquele que tem mãos inocentes e coração puro,
> que não se inclina para a mentira
> nem jura com perfídia.
> Ele receberá a bênção do Senhor
> e a justiça de Deus, o salvador.
> Ele é da linhagem dos que o buscam,
> da linhagem de Jacó, que procura sua face.
> Pausa.
> Pórticos, alteai vossos frontões!
> Alçai-vos, portais antigos,
> para que entre o rei da glória!
> Quem é esse rei da glória?
> O Senhor, herói poderoso,

o Senhor, herói das batalhas.
Pórticos, alteai vossos frontões!
Alçai-vos, portais antigos,
para que entre o rei da glória!
Quem é esse rei da glória?
O Senhor Todo-Poderoso,
é ele o rei da glória.

Pausa de silêncio para refletir

Aplique o salmo a si mesmo. É doloroso, mas toda cirurgia tem como finalidade restituir-nos a saúde. Quais cirurgias são necessárias em sua vida para ser este salmo vivo?

Oração Contemplativa

Faça passar na sua frente os seus pecados, sua injustiça ou a sua justiça. É você que deve dizer quem é você.

Reze por algumas pessoas injustas. Fixe sua atenção sobre duas ou três pessoas.

Está comprometido com a solidariedade? Ou prefere sua omissão? Ou quem sabe você mesmo e eu somos injustos no nosso agir?

Reze, espontaneamente por alguma situação de injustiça que você conhece.

Treine a sua contemplação com o *Pai-nosso* como de costume. E volte sereno às suas atividades, "renascido" no Espírito de Deus.

Oh, que bens serão aqueles que gozaremos com o olhar da Santíssima Trindade!

4º DIA

Viver com fé escura e verdadeira

João da Cruz é mais conhecido pelas noites escuras que pela intimidade com Deus ou a união mística. As pessoas gostam de saber o que se "sofre" e não o que se goza. São erros de perspectivas. Claro que para chegar ao mistério da Páscoa precisamos passar pelas noites da Sexta-feira Santa, em que o Cristo sofre e morre. Mas todos os nossos olhares estão fixos no Senhor. Nesta meditação João da Cruz nos leva suavemente a contemplar a luz, mas para vê-la precisamos passar pelas noites duras e dolorosas.

Prepare-se para entrar em oração e assuma uma atitude de discípulo para escutar a palavra de Deus e fazer dela sempre uma luz clareadora das noites da vida.

Quem tem sede venha a mim e beba

No último dia, o mais importante da festa, Jesus falou de pé e em voz alta: "Se alguém tiver sede venha a mim e beba. Quem crê em mim, como diz a Escritura, do seu interior correrão rios de água viva". Referia-se ao Espírito que haviam de receber aqueles que cressem nele. De fato, ainda não tinha sido dado o Espírito, pois Jesus ainda não tinha sido glorificado (Jo 7,37-39).

Pausa de silêncio para refletir

Esta palavra do evangelho de João evoca vários sentimentos que devem ser escutados no silêncio do coração, onde nada nos pode perturbar. Sede de quê? E sede de quem? Como buscar esta água para não ter mais sede? Evoque dentro de você o texto da samaritana e as palavras de Jesus: se tu conhecesses o dom de Deus e quem é que te pede de beber, tu mesma lhe pedirias de beber...

O desconhecimento de Jesus...

Evoque Isaías 55, que nos fala de sede, de bebida, de água viva. Como você descobre dentro de você esta água viva que é Deus? Tem sede de Deus?

Ó, cristalina fonte!

A alma, por este tempo, sente-se atraída com tanta veemência para ir a Deus como a pedra que vai chegando ao seu centro ou como a cera que começou receber a impressão do selo, e não se lhe acabou de gravar a figura dele. Além disso, conhece estar como a imagem que levou só a primeira mão, e ficou apenas no esboço; clama, pois, àquele que nela fez o debuxo pedindo que a acabe de pintar e modelar. E cheia de uma fé tão iluminada que a faz vislumbrar certas manifestações divinas muito claras, da grandeza de seu Deus, fica sem saber o que faça. Volta-se então para a mesma fé, que encerra e oculta a figura e a beleza do Amado, e da qual também recebe os debuxos dele e prendas do seu amor. Falando, pois, com a fé, diz a seguinte canção:

Canção XII

Ó cristalina fonte,
se nesses teus semblantes prateados
formasses de repente
os olhos desejados
que tenho nas entranhas debuxados!

Explicação

Com imenso desejo suspira a alma pela união do Esposo, e vê que não acha meio nem remédio algum em todas as criaturas. Volve-se, então, a falar com a fé, como a que mais ao vivo lhe há de dar luz sobre o Amado, e a toma por meio para levá-la à realização do que deseja. Na verdade, não há outro meio pelo qual se chegue à verdadeira união e desposório espiritual com Deus, conforme declara o Senhor por Oseias, nestes termos: "Desposar-te-ei na fé" (Os 2,20). E a alma, com o desejo em que arde, diz ao Esposo as palavras seguintes que exprimem o sentido da canção: Ó, fé de meu Esposo Cristo! Se as verdades que do Amado infundiste em mim, encobertas com obscuridade e treva – por ser a fé hábito obscuro, no dizer dos teólogos –, manifestasses agora com claridade! Se me descobrisses num momento tudo o que me comunicas por conhecimentos obscuros e indecisos, apartando-te tu mesma de todas essas verdades – porque a fé é coberta e véu das verdades de Deus –, transformando-as de modo perfeito e completo em manifestações de glória! Prossegue assim o verso:

Ó cristalina fonte

Chama a fé de "cristalina" por dois motivos: primeiro, por ser de Cristo, seu Esposo; segundo, porque tem as propriedades do cristal, sendo pura nas verdades e ao mesmo tempo forte, clara e limpa de quaisquer erros e de noções naturais. Dá-lhe o nome de "fonte", porque dela manam à alma as águas de todos os bens espirituais. Cristo, nosso Senhor, falando com a Samaritana, deu esse nome de fonte à mesma fé, dizendo que todos aqueles que nele cressem teriam em si uma fonte cujas águas jorrariam para a vida eterna (Jo 4,14). E esta água era o espírito que haviam de receber, pela fé, os crentes (Jo 7,39, CB 12,1-3).

Pausa de silêncio para refletir

Acolha com delicadeza as palavras de João da Cruz que, como mestre e pedagogo, vai explicando-nos esta fonte cristalina das virtudes teologais e como chegarmos a ela. Não tenha pressa de terminar a sua oração, deixe-se envolver pelo silêncio e pense repetindo a você como "mantra ou jaculatória" as palavras de João da Cruz.

Nesta oração ajude-se com o Salmo 30. O salmista, ser humano como nós, feito de carne, de sofrimento e desde a busca do Senhor, reclama por não encontrar o seu rosto. O pedido é um só. Que o Senhor faça resplendecer sobre nós a luz do seu rosto.

Senhor, que não seja excluído de tua presença

Em ti, Senhor, refugio-me:
que eu jamais seja decepcionado!
Por tua justiça, salva-me!
Inclina para mim teu ouvido
e apressa-te em libertar-me!
Sê minha rocha de refúgio,
a casa fortificada, onde eu possa salvar-me,
porque tu és minha rocha e fortaleza.
Para honra de teu nome, conduze-me e guia-me!
Tira-me da rede que, às ocultas, me estenderam,
porque tu és meu protetor.
Em tuas mãos recomendo meu espírito:
tu, Senhor, Deus fiel, me resgatarás.
Detesto os que cultuam ídolos vãos;
eu, porém, confio no Senhor.
Danço de alegria por causa de tua misericórdia,
pois olhaste minha aflição
e tomaste conhecimento de minha alma em perigo.
Não me entregaste às mãos do inimigo,
colocaste meus pés em campo aberto.
Tem piedade de mim, Senhor, que estou em perigo!
De pesar consomem-se meus olhos,
a garganta e o ventre.
Minha vida se esvai em tristeza,
e meus anos em gemidos.
Meu vigor se dissipa por causa de minha culpa;
consomem-se meus ossos.

Sou ludíbrio para os meus opressores
e muito mais para os vizinhos,
um espanto para os conhecidos;
os que me veem na rua fogem de mim.
Fui relegado ao esquecimento como
um defunto desconhecido,
não sou mais que um vaso partido;
escuto os cochichos da multidão:
"O espantalho da redondeza!".
Conjuram-se contra mim,
tramam contra minha vida.
Mas eu confio em ti, Senhor.
Digo: Tu és meu Deus.
Está em tuas mãos o meu futuro:
livra-me da mão do inimigo e do perseguidor!
Faze brilhar tua face sobre teu servo,
salva-me por tua misericórdia!
Senhor, não fique eu decepcionado, pois te invoquei!
Fiquem decepcionados os ímpios,
reduzidos ao silêncio do abismo!
Fiquem mudos esses lábios mentirosos,
que contra o justo proferem insolências,
com arrogância e desprezo!
Que bondade tão grande é esta
que reservas para teus fiéis,
com que favoreces os que em ti se refugiam,
à vista dos filhos dos homens!
Tu os escondes no recôndito de tua presença,
longe das intrigas humanas.
Tu os ocultas dentro da tenda,
contra as línguas da discórdia.

Bendito seja o Senhor,
que fez comigo maravilhas da sua misericórdia,
na cidade fortificada!
Eu dizia em minha consternação:
"Estou excluído de tua vista".
Tu, porém, escutaste minha voz suplicante,
quando clamei por ti.
Amai o Senhor vós todos, que sois fiéis!
O Senhor guarda os homens leais,
mas retribui com juros a quem age com arrogância.
Sede fortes e cobrai ânimo
vós todos que esperais ao Senhor!

Pausa de silêncio para refletir

Pense nas noites que você atravessou até hoje. Quando você perdeu o Senhor e como o reencontrou? Quem ajudou você a reencontrar o Senhor? Como neste momento sente a presença viva do Altíssimo?

Visualize as situações que mais prejudicam você neste encontro com Deus. Há situações de pecado frente à misericórdia infinita de Deus?

Tem ajudado alguém a superar suas noites de fé? Como vive as suas noites de fé? Desesperando-se ou esperando que o sol da vida volte a brilhar?

Leia e recorde a noite de fé de Santa Teresinha:

Nos dias tão alegres do tempo pascal, Jesus fez-me sentir haver almas sem fé que, por abuso das graças, perdem esse precioso tesouro, fonte das únicas alegrias puras e verdadeiras. Permitiu que minha alma fosse invadida pelas mais densas trevas e que a ideia do Céu, tão suave para mim, não passasse de tema de combate e tortura... Essa provação não devia durar apenas alguns dias, algumas semanas, só devia desaparecer na hora marcada por Deus, e... essa hora não chegou ainda... Gostaria de poder expressar o que sinto, mas creio ser impossível. É preciso ter andado por esse túnel escuro para compreender a escuridão. Mas vou tentar explicar por meio de uma comparação.

Imagino ter nascido num país envolvido por um denso nevoeiro. Nunca contemplei o risonho aspecto da natureza, inundada, transfigurada pelo sol brilhante; desde minha infância, ouço falar dessas maravilhas, sei que o país em que estou não é a minha pátria, que existe outro com o qual devo sonhar sempre. Não se trata de uma história inventada por um habitante do triste país em que estou, mas é uma realidade comprovada, pois o Rei da pátria do sol brilhante veio viver trinta e três anos no país das trevas. Ai! As trevas não entenderam que esse Rei divino era a luz do mundo... Mas, Senhor, vossa filha entendeu vossa divina luz, pede-vos perdão pelos seus irmãos, aceita comer, pelo tempo que quiserdes, o pão da dor e não quer levantar-se desta mesa coberta de amargura onde comem os pobres pecadores antes do dia marcado por vós... Mas não pode ela dizer em seu nome e em nome dos seus irmãos: Tendes piedade de nós, Senhor, pois somos pobres pecadores! Oh! Senhor, mandai-nos justificados para casa... Que todos aqueles que não estão iluminados pela luz resplandecente da fé a vejam finalmente luzir... Ó Jesus, se for preciso que a mesa por eles maculada seja purificada por uma alma que vos ama, aceito comer sozinha o pão da provação até o momento que vos agradar introduzir-me em vosso reino luminoso. A única graça que vos peço é a de nunca vos ofender!...

MC 6f

Reze lentamente o *Pai-nosso* e volte, com tranquilidade, ao seu trabalho, sabendo viver suas noites com esperança gozosa na certeza que um dia elas serão superadas.

O centro da alma é Deus. Quando a pessoa se encontra com ele, em todas as suas faculdades, energias e desejos, terá atingido o cerne e a raiz mais profunda de si mesma, que é Deus.

5º DIA
Viver na esperança certa

Filha, no vazio e aspereza de todas as coisas é que Deus há de provar os que são soldados fortes para vencer sua batalha; aqueles que sabem beber a água no ar sem encostar o peito na terra, como os soldados de Gedeão (Jz 7,5-7.16-23), que venceram com barro seco e lanternas acesas dentro, o que significa a secura do sentido e no interior o espírito bom e ardoroso (CARTA 19, agosto de 1586).

Fala-se muito das noites de fé; pouco e quase nada das noites da esperança. Eu pessoalmente tenho sofrido mais pelas noites da esperança que pelas da fé. Sei que devem acontecer e são normais, é só esperar que elas passem. As noites da esperança exigem muito que tenhamos a coragem para reagir aos desânimos. A falta de esperança bloqueia todo o caminho e nos impede de avançar para águas mais profundas da busca do amor dinâmico e transformador. Que João da Cruz nos ajude a viver a esperança certa.

Entre agora em oração silenciando-se e fazendo luz sobre os "momentos de desesperança" que agitam as águas do seu coração.

A esperança não engana

Justificados, pois, pela fé, temos paz com Deus por meio de Nosso Senhor Jesus Cristo. Por ele é que em virtude da fé chegamos à graça em que nos mantemos e gloriamos na esperança da glória de Deus. E não só isso. Até nas tribulações nos gloriamos. Pois sabemos que a tribulação produz paciência, a paciência prova a fidelidade ,e a fidelidade comprovada produz a esperança. E a esperança não engana, pois o amor de Deus se derramou em nossos corações pelo Espírito Santo, que nos foi dado (Rm 5,1-5).

Pausa de silêncio para refletir

Paulo é alguém que viveu de esperança e nos deixou a teologia da esperança. Ele nos ensina que, embora possam acontecer tantas coisas, nunca podemos desanimar, mas devemos sempre olhar para frente. Animados pela esperança temos possibilidade de vencer todos os obstáculos. Faça vazio dentro de si e veja como vive a sua esperança em tudo: nas coisas materiais, na vida familiar, na oração, no futuro político do país. Você acredita que é através de você, e somente através de você, que as coisas podem mudar? Na Igreja você é espectador ou construtor? Na sua comunidade e família, qual é a sua atuação? "Peso morto" ou fermento que vai levedando toda a massa? Compreenda relendo bem a palavra de Paulo aos Romanos:

Nisto tens motivo de grande gozo e alegria, vendo como todo o teu bem – a tua esperança – encontra-se tão perto de ti, ou melhor, está dentro de ti, e tu, não podes viver sem ele.

6º DIA

A viva esperança

Logo acima desta túnica branca da fé, sobrepõe a alma uma segunda veste que é uma almilha verde. Por esta cor é significada a virtude da esperança, como já dissemos acima. Por meio dela, em primeiro lugar a alma se liberta e defende do segundo inimigo, que é o mundo. Na verdade, este verdor de esperança viva em Deus confere à alma tanta vivacidade e ânimo, e tanta elevação às coisas da vida eterna, que toda coisa da Terra, em comparação a tudo quanto espera alcançar no céu, parece-lhe murcha, seca e morta, como na verdade é, e de nenhum valor. Aqui se despe e despoja, então, a alma de todas essas vestes e trajes do mundo, tirando o seu coração de todas elas, sem prendê-lo a nada. Não mais espera coisa alguma que exista ou haja de existir neste mundo, pois vive vestida unicamente de esperança da vida eterna. Assim, a tal ponto se lhe eleva o coração acima deste mundo, que não somente lhe é impossível apegar-se ou apoiar-se nele, mas nem mesmo pode olhá-lo de longe.

A alma vai, portanto, com esta verde libré e disfarce, muito segura contra seu segundo inimigo que é o mudo. À esperança chama São Paulo "elmo de salvação" (1 Ts 5,8). Este capacete é armadura que protege toda a cabeça, cobrindo-a de modo a ficar descoberta apenas uma viseira, por onde se pode olhar. Eis a propriedade da esperança: cobrir todos os sentidos da cabeça da alma, para que não se engolfem em coisa alguma deste mundo, e não haja lugar por onde os possa ferir alguma seta deste século. Só deixa à alma uma viseira, a fim de poder levantar os olhos para cima, e nada mais. Tal é, ordinariamente, o ofício da esperança dentro da alma – levantar os seus olhos para olhar somente a Deus, como diz Davi: "Meus olhos estão sempre voltados para o Senhor" (Sl 24,15). Não esperava bem algum de outra parte, conforme ele mesmo diz em outro salmo: "Assim como os olhos da escrava estão postos nas mãos da sua senhora, assim os nossos estão fixados nobre o Senhor, nosso Deus, até que tenha misericórdia de nós" (122,2).

Assim, quando a alma se reveste da verde libré da esperança – sempre olhando para Deus, sem ver outra coisa nem querer outra paga para o seu amor a não ser unicamente ele –, o Amado de tal forma nela se compraz que, na verdade, pode-se dizer que a alma dele alcança tanto quanto espera. Assim se exprime o Esposo nos Cantares, dizendo à Esposa: "Chagaste meu coração com um só de teus olhos" (Ct 4,9). Sem essa libré verde de pura esperança em Deus não convinha a alma sair a pretender o amor divino; nada teria então alcançado, pois o que move e vence a Deus é a esperança porfiada (2N 21,6-8).

Pausa de silêncio para refletir

Embora eu conheça pouco a vida de São João da Cruz, você sabe que ele, ao longo dos 49 anos de vida, sofreu 49? Tudo nele foi conflitivo, contraste, desentendimento e incompreensões, mas sempre se deixou guiar pela firme esperança e pela luz que emanava da cruz de Cristo. Nunca o encontramos desanimado e nem lamuriando os seus sofrimentos. Ele sabe que o Senhor virá em seu socorro. E quanto mais sofre, mais sente-se unido ao Cristo crucificado.

Seja você animador de sua esperança e da esperança dos outros. Não fuja de suas responsabilidades e seja sempre positivo. Quem crê no Senhor não pode ser negativo quando olha o futuro. A atitude dos profetas, especialmente Isaías, é de quem é animado pela esperança.

Quais são os sinais de esperança que vê na situação conturbada de hoje?

Enumere alguns...

Oração salmódica

O Salmo 122 é carregado de uma visão de esperança como poucos. É o olhar da esperança que é levantado com confiança. Esta oração, escrita milhares de anos atrás, reaviva o fogo que está debaixo das cinzas da esperança. Sopre nelas e a vida voltará a ser perfumada de esperança e de primavera.

> Levanto os olhos para os montes:
> donde me virá socorro?
> O socorro me vem do Senhor,
> que fez o céu e a Terra.
> Ele não permitirá que teu pé tropece;
> tua sentinela não dorme.
> Não! Não dorme nem repousa
> a sentinela de Israel.
> O Senhor é tua sentinela:
> como sombra protetora, o Senhor está à tua direita.

De dia não te causará dano o sol,
nem a lua, de noite.
O Senhor te guardará de todo mal,
ele guardará tua vida.
O Senhor te guardará, em tuas idas e vindas,
agora e para sempre.

Pausa de silêncio para refletir

Evoque frases, palavras sobre a esperança. O que você diria a uma pessoa sem esperança? Conhece alguém que é sempre pessimista? E que você diria para você mesmo quando a esperança estivesse fraca e quase agonizante no seu coração?

Oração contemplativa

Deixe que o seu coração e sua memória amorosa tragam presentes as situações de desespero que você conhece: desempregados, famílias desunidas e divididas, situações de vingança e de ódio. Escolha algumas pessoas e reze por elas.

Faça chegar até você o eco dos povos do terceiro mundo, famintos e sem esperança, e acolha os gritos dos deserdados, dos excluídos. Como fazer para devolver a esperança a alguém?

Não tenha pressa nesta sua oração contemplativa de amor. Fique à vontade.

Reze silenciosamente, palavra por palavra, o *Pai-nosso* e volte cheio de esperança para o seu trabalho. Reaviva em todos a esperança. Contra toda desesperança seja esperança.

A esperança em Deus só pode ser perfeita quando se afasta da memória tudo o que se contrapõe a Deus.

7º DIA

Amar a cruz e o sofrimento

Essa afirmação pode parecer até "blasfêmia" no mundo de hoje, onde todos os esforços são dirigidos para vencer a dor, abolir o sofrimento e criar uma vida sem dor, uma alegria superficial. A dor faz parte de nossa história mais íntima; aliás, nascemos chorando e provavelmente morremos derramando as últimas lágrimas. Mas saber sofrer é uma arte de responsabilidade e de amor. É saber dar à luz novas vidas com as dores do parto. A vida nasce na dor. Nesta meditação prepare o seu coração para não ter medo de assumir e reconhecer os sofrimentos reais, imaginários e inventados para encontrar compaixão dos outros.

Entre em oração silenciando o seu coração e contemplando uma a uma suas dores com a altivez de Cristo, que morre na cruz.

Sofrendo, não ameaçava

Sim, fostes chamados para isso, já que também Cristo sofreu por vós e vos deixou o exemplo para que lhe sigais as pegadas. *Ele não cometeu pecado, nem em sua boca se encontrou engano.*

Ultrajado, não replicava com injúrias; atormentado, não ameaçava, mas se entregava àquele que julga com justiça.

Carregou nossos pecados em seu corpo sobre o madeiro para que, mortos para o pecado, vivêssemos para a justiça. Por suas feridas fostes curados. Porque éreis como ovelhas desgarradas, agora vos convertestes ao pastor e guarda de vossas almas (1Pd 2,21-25).

Pausa de silêncio para refletir

As palavras de Pedro têm um valor especial. Ele tinha presenciado ao sofrimento de Jesus e tinha causado muitos sofrimentos com suas atitudes e palavras, com seus atos de generosidade desmentidos imediatamente com a vida.

Quantas pessoas você fez sofrer? Pense em cada uma. E quantas pessoas fizeram você sofrer? Pense em cada uma e, num gesto de íntimo perdão, seja amigo de todos e não faça sofrer com suas atitudes e palavras.

A cruz, caminho para o amor

Entende-se também muito adequadamente por esta espessura, em que a alma agora deseja entrar, a profusão e intensidade dos trabalhos e tribulações que está disposta a abraçar, porquanto lhe é saborosíssimo e proveitosíssimo o padecer. Na verdade, o padecer é para a alma o meio para entrar mais adentro na espessura da deleitosa sabedoria de Deus, porque o mais puro padecer traz mais íntimo e puro entender e, consequentemente, mais puro e sabido gozar, pelo fato de ser conhecimento em maior profundidade. Por isto, não se contentando a alma com qualquer maneira de padecer, diz: Entremos mais adentro na espessura, isto é, entremos até nos apertos da morte, a fim de ver a Deus. O profeta Jó, desejando este padecer, como meio para chegar à visão de Deus, exclamava: "Quem me dera que se cumprisse a minha petição, e que Deus me concedesse o que espero! E que o que começou, esse mesmo me fizesse em pó, e me cortasse a vida! E a minha consolação seria que, afligindo-me com dor, não me perdoasse" (Jó 6,8).

Oh! Se acabássemos já de entender como não é possível chegar à espessura e sabedoria das riquezas de Deus, tão numerosas e variadas, a não ser entrando na espessura do padecer de muitas maneiras, pondo nisto a alma sua consolação e desejo! E como a alma, verdadeiramente desejosa da sabedoria divina, deseja primeiro – para nela entrar – padecer na espessura da cruz! Era esta a razão que movia São Paulo a exortar os efésios a que não desfalecessem em suas tribulações e permanecessem firmes e arraigados na caridade, para que pudessem compreender, com todos os santos, a largura, o comprimento, a altura e a profundidade, e conhecer também a supereminente ciência da caridade de Cristo, a fim de serem cheios de toda a plenitude de Deus (Ef 3,18). Com efeito, para entrar nestas riquezas da Sabedoria divina, a porta – que é estreita – é a cruz. O desejo de passar por esta porta é de poucos; mas o de gozar dos deleites a que se chega por ela é de muitos (Cântico Espiritual 36,11-13).

Pausa de silêncio para refletir

João da Cruz fala com autoridade sobre o sofrimento. Vale a pena lembrar alguns: órfão, obrigado a viver longe da mãe, trabalhador desde menino, esmoleiro, trabalhando no hospital de doenças infecciosas, estuda à noite e luta para ganhar o pão durante o dia. Sofre por causa dos confrades, sequestrado, vive nove meses na cadeia (1577-1578), quase é expulso da Ordem que ele mesmo ajudou a fundar com Santa Teresa; incompreendido, marginalizado.

Quais são os seus sofrimentos? Doença, incompreensão?

Foi caluniado? Injustiçado? Olhe a dor, o sofrimento, nos olhos e lute para superar tudo isso.

Oração salmódica

Entre em oração, ajudado pelo salmista do Salmo 129. Na dor a chama do amor está presente. O sofrimento no amor se faz delicioso e alegre. Nada de masoquismo, mas é oblatividade e entrega da vida como dom para a felicidade dos outros.

Das profundezas clamo a ti, Senhor:
Senhor, escuta minha voz,
estejam atentos teus ouvidos
à voz de minha súplica!
Se levares em conta, Senhor, as iniquidades,
Senhor, quem poderá subsistir?
Mas contigo está o perdão,
pelo que és reverenciado.
Espero pelo Senhor, espero com toda a minha alma
e aguardo sua palavra.
Minha alma espera pelo Senhor,
mais que as sentinelas pela aurora,
sim, mais que as sentinelas pela aurora.
Espere Israel pelo Senhor,

pois no Senhor há misericórdia,
e junto dele copiosa redenção.
Ele redimirá Israel
de todas as suas iniquidades.

Pausa de silêncio para refletir

Deixe silenciar o grito da revolta diante da dor e dê espaço ao amor. Examine por que você sofreu ou sofre e contemple um crucifixo, e seu sofrimento será gradualmente menor até desaparecer.

Oração contemplativa

Neste momento, visite os doentes, pense nas pessoas que você conhece e que estão doentes no corpo...

Nos que sofrem no espírito...

Nas pessoas injustiçadas...

Não julgue que todos os que estão nas cadeias são culpados, há muitos justos. Reze o *Pai-nosso* e volte ao trabalho assumindo com coragem as suas dores e sofrimentos.

Queres uma palavra de consolação? Olha meu filho, submisso a mim, tão humilhado e aflito por meu amor, e verás quantas palavras te responde. Queres saber algumas coisas ou acontecimentos ocultos? Põe os olhos só em Cristo e acharás mistérios ocultíssimos e tesouros de sabedoria e grandezas divinas nele encerrados, segundo o testemunho do apóstolo: "Nele estão encerrados os tesouros da sabedoria e da ciência" (Cl 2,3). Esses tesouros da sabedoria ser-te-ão muito mais admiráveis, saborosos e úteis que tudo quanto desejarias conhecer. Assim glorificava-se o mesmo apóstolo quando dizia: Porque julguei não saber coisa alguma entre vós, senão a Jesus Cristo, e este crucificado (1Cor 2,2). Enfim, se for de teu desejo ter outras visões ou revelações divinas, ou corporais, contempla meu Filho humano e acharás mais do que pensas, conforme disse também S. Paulo: "Porque nele habita toda a plenitude da divindade corporalmente" (Cl 2,9; 2S 22,6).

Nosso Senhor, por São Mateus, diz-nos: "O meu jugo é suave, e o meu peso, leve" (Mt 20,21). Com efeito, se a alma se determinar generosamente a carregar esta cruz, querendo deveras escolher e abraçar com ânimo resoluto todos os trabalhos por Deus, achará grande alívio e suavidade para subir este caminho, assim despojada de tudo e sem mais nada querer. Se pretender, porém, guardar para si alguma coisa, seja temporal, seja espiritual, não terá o verdadeiro desapego e abnegação; portanto não poderá subir por esta estreita senda até o cume (2S 7,7).

8º DIA

Revestidos de Jesus Cristo

Quem ama passa através da cruz, tendo plena consciência de que somente é amigo da glória de Cristo quem for amigo da cruz de Jesus Cristo. O grande desejo do ser humano é encontrar alguém com quem se identificar. Todos buscamos modelos em quem possamos conformar-nos e sentir-nos animados a percorrer o caminho da imitação; somente Jesus é nosso modelo, e dele somos imitadores. "Não sou mais eu que vivo, mas Cristo que vive em mim." Procure entrar na oração silenciosamente e vendo-se através da imaginação como imitador de Jesus, que sua imagem viva resplandecerá na nossa carne mortal. Esse caminho da glória é o sair e entrar na cruz de Cristo.

O corpo, sacramento do amor de Deus

Eu vos exorto, pois, irmãos, pela misericórdia de Deus, que vos ofereçais em vossos corpos, como hóstia viva, santa, agradável a Deus. Este é o vosso culto espiritual. Não vos conformeis com os esquemas deste mundo, mas transformai-vos pela renovação do espírito, para que possais conhecer qual é a vontade de Deus, boa, agradável e perfeita.

Sede cordiais no amor fraterno entre vós. Rivalizai em honrar-vos reciprocamente. Não relaxeis no zelo.

Sede fervorosos de espírito. Servi ao Senhor. Sede alegres na esperança, pacientes na tribulação e perseverantes na oração.

A noite já vai adiantada, e o dia vem chegando. Despojemo-nos, pois, das obras das trevas e vistamos as armas da luz. Procedamos honestamente, como de dia, não vivendo em orgias e bebedeiras, em concubinato e libertinagem, em rixas e ciúmes. Ao contrário, revesti-vos do Senhor Jesus Cristo e não façais caso da carne para lhe satisfazer os apetites (Rm 12,1-2; 10-12; 13,12-14).

Pausa de silêncio para refletir

Não fomos educados a ver o nosso corpo como sacramento, sinal da presença de Deus, mas sim como algo a ser dominado porque é causa de pecado. Uma visão não completa, embora não seja totalmente falsa. É o momento de contemplar o nosso corpo como templo do Espírito Santo e revestido da glória de Jesus Cristo. Silencie todo o seu ser e louve a Deus por todos os membros do seu corpo, passando um por um, como num filme maravilhoso da glória de Deus que se reflete no corpo que temos. Assumir o corpo, glorificar o Senhor por ele é caminho da santidade.

Purificar-se dos ídolos

Vemos, no livro do Êxodo, um exemplo confirmando este ponto. Quando Deus ordenou a Moisés que subisse ao Monte Sinai para conversar com ele, não somente ordenou que fosse sozinho, deixando embaixo os filhos de Israel, como ainda proibiu que apascentassem os rebanhos nas encostas da montanha. Quis ele dar-nos a entender que a alma desejosa de subir a montanha da perfeição para entrar em comunhão com Deus não só há de renunciar a todas as coisas, mas também aos apetites, figurados nos animais; não lhes deve permitir que venham apascentar-se nas encostas da montanha, isto é, naquilo que não é exclusivamente Deus, em quem todos os apetites cessam – o que acontece no estado de perfeição. Durante a ascensão nesta montanha, é necessário reprimir e mortificar, com cuidado incessante, todos os apetites. E tanto mais depressa chegará a seu fim quanto mais rapidamente isto fizer. Se assim não for, jamais se subirá ao cume, por mais virtudes que pratique, pois não as exercita com a perfeição que consiste em ter a alma vazia, nua e purificada de todo apetite. Outra viva figura do que afirmamos nos dá o Gênesis: querendo o patriarca Jacó subir ao monte Betel, para aí edificar um altar a Deus e oferecer-lhe sacrifícios, ordenou primeiro três coisas às pessoas de sua casa. A primeira, que arrojassem de si todos os deuses estranhos; a segunda, que se purificassem; a terceira, que mudassem suas vestes (Gn 35,2).

Essas três coisas indicam-nos as disposições da alma que pretende subir a montanha da perfeição e fazer de si mesma altar para oferecer a Deus o tríplice sacrifício de puro amor, louvor e adoração. Antes de chegar com segurança ao cume desta montanha, deve ter cumprido perfeitamente os três avisos citados: primeiro, rejeitar todos os deuses estranhos, isto é, os apegos e afeições do coração; a seguir, purificar-se na noite escura do sentido, dos ressaibos deixados por esses apetites, negando-os e arrependendo-se deles ordenadamente e, por último, trocar as vestes que, em consequência das duas primeiras condições, mudará Deus de velhas em novas, pondo na alma novo conhecimento de Deus em Deus, e novo amor de Deus em Deus, despojada a vontade de todos os velhos quereres e gostos humanos; e nova notícia e deleite abismal lhe serão comunicados, rejeitadas todas as suas antigas concepções. Posto de lado tudo o que havia no velho homem – as aptidões naturais – e substituído por sobrenatural aptidão em todas as suas potências, será seu modo de agir transformado de humano em divino.

Tal é o resultado deste estado de união no qual a alma se torna altar onde somente Deus reside e recebe o sacrifício de adoração, louvor e amor. Determinou o Senhor que o altar onde devia estar a arca do Testamento fosse oco por dentro a fim de nos dar a entender quanto nossa alma deve estar despida de tudo, para que seja altar digno de servir de morada à divina Majestade. Sobre esse altar, cujo fogo próprio jamais deveria extinguir-se, não era permitido que houvesse fogo estranho. E porque Nadab e Abiud, filhos do sumo sacerdote Aarão, transgrediram esta ordem, o Senhor, irritado, deu-lhes a morte diante do mesmo altar (Lv 10,1). Mostra-nos esta figura como, para ser a alma digno altar de Deus, jamais há de carecer de amor divino, nem tampouco há de mesclá-lo com qualquer outro amor (1S 5,6-7).

Pausa de silêncio para refletir

João da Cruz é mestre sincero e exigente. Não engana ninguém e apresenta o caminho em que, para chegar a Deus, é preciso se purificar de tudo o que não é Deus. Saber, portanto, renegar os nossos sentidos e corpo, não porque eles são pecados, mas porque podem conduzir-nos ao pecado.

Examine lentamente seus sentidos e membros do corpo para ver o que deve ser purificado para entrar na comunhão com o Senhor.

Não tenha nem pressa e nem medo desta simples revisão de sua vida. Só assim dará o primeiro passo ao encontro de Deus.

Oração salmódica

Alegre-se no Senhor

De coração me alegro no Senhor,
e minha alma exulta em meu Deus!
Pois revestiu-me dos trajes da salvação,
envolveu-me com o manto da justiça,
qual noivo que ajeita seu turbante,
qual noiva que se enfeita com as joias.
Serás uma coroa magnífica na mão do Senhor
e uma tiara real na destra de teu Deus.

Is 61,10; 62,3

Pausa de silêncio para refletir

O profeta Isaías nos introduz na alegria de quem vive só para o Senhor. Deus é o centro e a fonte de nossa vida, dele viemos e a ele voltamos, para sermos felizes e realizados. No silêncio, fechando os seus olhos, procure glorificar ao Senhor por todo o bem que você realiza com seu corpo, passando em visão os membros do seu corpo como cooperadores do projeto de Deus.

Oração contemplativa

Entre agora no seu íntimo, agradeça e louve o Senhor não só pelo seu corpo, mas também pelo corpo das pessoas que você ama, pelas qualidades dos outros, pela beleza, pelo brilho de Deus, pelo reflexo da transfiguração que a graça opera.

Contemple e ame pessoas que possuam um corpo doente, enfermo, deficiente físico, pessoas nos hospitais, para que, no sofrimento do corpo, sejam participantes do mistério da redenção. É maravilhoso este momento de contemplação, contemplando o seu corpo e dos outros como templos do Espírito. Peça ao Senhor em favor dos que passam fome, cujo corpo é mutilado constantemente pela miséria que destrói a dignidade da vida.

Reze o *Pai-nosso* ou outra oração que lhe permita sentir mais de perto a presença de Deus. Volte ao seu trabalho contemplando alguém com olhos novos.

Queres uma palavra de consolação? Olhe meu filho, submisso a mim, tão humilhado e aflito por meu amor, e verás quantas palavras te responde. Queres saber algumas coisas ou acontecimentos ocultos? Põe os olhos só em Cristo e acharás mistérios ocultíssimos e tesouros de sabedoria e grandezas divinas nele encerrados, segundo o testemunho do apóstolo: "Nele estão encerrados os tesouros da sabedoria e da ciência" (Cl 2,3). Esses tesouros da sabedoria ser-te-ão muito mais admiráveis, saborosos e úteis que tudo quanto desejaríeis conhecer. Assim glorificava-se o mesmo apóstolo quando dizia: Porque julguei não saber coisa alguma entre vós, senão a Jesus Cristo, e este crucificado (1Cor 2,2). En-

fim, se for de teu desejo ter outras visões ou revelações divinas, ou corporais, contempla meu Filho humano e acharás mais do que pensas, conforme disse também S. Paulo: "Porque nele habita toda a plenitude da divindade corporalmente" (Cl 2,9; 2S 22,6).

9º DIA

Viver com caridade perfeita

Como porta de entrada para a oração de hoje reze com mais calma e gosto o capítulo 12 da Carta aos Coríntios, o hino da caridade. Assimilar palavra por palavra, deixar-se fecundar pela sua teologia, silenciar e ver como está praticando tudo isto.

Se eu falar as línguas de homens e anjos,
mas não tiver o amor,
sou como bronze que soa ou tímpano que retine.
E se possuir o dom da profecia
e conhecer todos os mistérios e toda a ciência
e alcançar tanta fé
que chegue a transportar montanhas,
mas não tiver o amor, nada sou.
E se repartir toda a minha fortuna
e entregar meu corpo ao fogo
mas não tiver o amor, nada disso me aproveita.
O amor é paciente, o amor é benigno,
não é invejoso.
O amor não é orgulhoso, não se ensoberbece;
não é descortês, não é interesseiro,
não se irrita, não guarda rancor;
não se alegra com a injustiça
mas se compraz com a verdade;
tudo desculpa, tudo crê, tudo espera, tudo tolera.

O amor nunca acabará.
As profecias terão fim; as línguas cessarão;
a ciência terminará...
No presente permanecem estas três:
fé, esperança e caridade.
Porém a maior delas
é a caridade.

1Cor 13,1-3

Permanecei no meu amor

Se permanecerdes em mim e minhas palavras permanecerem em vós, pedireis tudo o que quiserdes, e vos será dado. Meu Pai será glorificado, se derdes muito fruto e vos tornardes meus discípulos.

Como o Pai me amou, assim também eu vos amei. Permanecei no meu amor. Se guardardes os meus mandamentos, permanecereis no meu amor, como eu também guardei os mandamentos de meu Pai e permaneço no seu amor. Disse-vos estas coisas para que minha alegria esteja convosco, e a vossa alegria seja completa (Jo 15,7-11).

Pausa de silêncio para refletir

É o trecho do evangelho que mais me tem perseguido ao longo da vida. Volto constantemente a meditá-lo e sinto-me incapaz de entender o que quer dizer "permanecer no amor", e muito mais incapaz de viver isso. No entanto fico seduzido por este convite de Jesus, é o que quero fazer e ser. Permanecer no amor, esquecido de tudo e de todos, porque nele acho tudo e todos. Nada pode separar-nos deste amor íntimo, é o matrimônio espiritual que sonhamos e desejamos com intensidade e veemência. A ele somos chamados. Silencie e tente compreender o sentido de a quem você é chamado, do permanecer em Cristo Jesus e no amor eterno da Trindade Santa.

Onde te escondeste...

Caindo a alma na conta do que está obrigada a fazer, vê como a vida é breve (Jó 14,5) e quão estreita é a senda da vida eterna (Mt 7,14); considera que mesmo o justo dificilmente se salva (1Pd 4,18) e que as coisas do mundo são vãs e ilusórias, pois tudo se acaba como a água corrente (2Rs 14,14). Sabe que o tempo é incerto, a conta rigorosa, a perdição muito fácil, e a salvação bem difícil.

Conhece, por outra parte, a sua enorme dívida para com Deus que lhe deu o ser a fim de que a alma pertencesse totalmente a ele; deve, portanto, só a Deus o serviço de toda a sua vida. Em ter sido remida por ele, ficou-lhe devedora de tudo e na necessidade de corresponder ao seu amor, livre e voluntariamente. E em outros mil benefícios se acha obrigada para com Deus, antes mesmo que houvesse nascido. E, no entanto, compreende agora como grande parte de sua vida transcorreu em vão, não obstante a razão, e conta que terá de dar a respeito de tudo, tanto do princípio como do fim, até o último ceitil (Mt 5,26), quando Deus vier esquadrinhar Jerusalém com tochas acesas (Sb 1,12), e que já é tarde, e talvez chegado o último dia (Mt 20,5)!

E assim a alma, sobretudo, por sentir a Deus muito afastado e escondido, em razão de ter ela querido esquecer-se tanto dele no meio das criaturas, tocada agora de pavor e de íntima dor no coração à vista de tanta perdição e perigo, renuncia a todas as coisas; dá de mão a todo negócio e, sem dilatar mais dia nem hora, com ânsia e gemido a brotar-lhe do coração já ferido pelo amor de Deus, começa a invocar seu Amado, e diz:

Onde é que te escondeste, Amado,
e me deixaste com gemido?
Como o cervo fugiste,
havendo-me ferido;
saí, por ti clamando, e eras já ido.

Nessa primeira canção, a alma enamorada de seu Esposo, o Verbo de Deus, desejando unir-se a ele por visão clara de sua essência, expõe suas ânsias de amor. Queixa-se a ele de sua ausência, mais ainda porque, depois de havê-la ferido e chagado com seu amor – pelo qual saiu a alma de todas as coisas criadas e de si mesma –, ainda a faça sofrer essa ausência de seu Amado e não queira ainda desatá-la da carne mortal para poder gozar dele na glória da eternidade. E assim diz:

Onde é que te escondeste?

Como se dissera: "Ó Verbo, meu Esposo, mostra-me o lugar onde estás escondido". Nisto lhe pede a manifestação de sua divina essência, porque o lugar onde está escondido o Filho de Deus é, conforme a palavra de S. João, o seio do Pai (Jo 1,18), que é a essência divina, a qual está alheia a todo olhar mortal e escondida a todo humano entendimento. Por este motivo, Isaías, falando a Deus, exclamou: "Verdadeiramente tu és Deus escondido" (Is 45,15).

Daqui podemos concluir que as maiores comunicações e as mais elevadas e sublimes notícias de Deus, que a alma possa ter nesta vida, nada disso é Deus em sua essência, nem tem a ver com ele, pois, na verdade, Deus permanece sempre escondido para a alma. É conveniente, então, que ela o tenha sempre como escondido e acima de todas essas grandezas e o busque sempre escondido dizendo: "Onde é que te escondeste?". Porque nem a elevada comunicação de Deus, nem a sua presença sensível, é testemunho certo de sua presença pela graça; nem tampouco a secura e carência de tudo isso é sinal de sua ausência na alma. Testemunha-o o profeta Jó quando diz: "Se vier a mim não o verei, e se for embora, não o entenderei" (Jó 9,11) (Cântico Espiritual 1,1-3).

Pausa de silêncio para refletir

João da Cruz compôs esses versos quando se encontrava no cárcere de Toledo, sem comunicação com ninguém, marginalizado e perseguido surdamente pelos seus irmãos de vida religiosa que tentavam distraí-lo do verdadeiro amor que é Cristo. Nessa saudade de Deus, nessa necessidade de amor, ele percebe que só lhe resta uma coisa: perguntar a Deus onde ele se escondeu. Quando sofremos por todos os lados, o único amor que consola é o Senhor, e não há outro. É uma experiência que devemos fazer se quisermos perceber o que João da Cruz diz.

Celebre a memória dos momentos em que ficou somente Deus para escutar você e para acolher os seus gritos e sofrimentos, quando todos o abandonaram e sentiu-se só a gritar com força "Aonde te escondeste, amado?".

Oração salmódica

Associai-vos à alegria de Jerusalém
e regozijai-vos com ela, todos vós que a amais!
Associai-vos ao seu júbilo,
todos vós que guardastes luto por ela!
Mamareis à saciedade em seus peitos reconfortantes,
sorvereis com gosto o leite de seus peitos gloriosos!
Pois assim fala o Senhor:
Eis que farei chegar a ela qual rio o bem-estar
e qual riacho transbordante as riquezas das nações.
Sereis amamentados, sereis carregados nos braços,
sereis acariciados nos joelhos.
Como uma mãe consola um menino,
assim eu vos consolarei;
em Jerusalém sereis consolados.
A tal vista vosso coração ficará cheio de júbilo,
e o vosso vigor reverdecerá como o capim;
a mão do Senhor se manifestará a seus servos,
mas aos inimigos fará sentir sua cólera.

Is 66,10-14

Pausa de silêncio para refletir

O profeta Isaías é chamado "profeta da alegria". É na caridade oblativa, no amor gratuito, que se experimenta a felicidade da busca e do encontro. Não se busca Deus porque se espera dele, mas porque é amor e só amor. Amar pela alegria de amar. Deixar-se agora levar no colo de Deus, ser acariciado por ele. As carícias de Deus são doces e amáveis. Ele nos consola porque estamos cansados na busca e nos redoa a coragem para não desanimarmos.

Pense: quantas vezes você esteve perto de desistir de ser fiel a Deus?

Relembre esses momentos de sua caminhada, com serenidade e sem vergonha.

Oração contemplativa

Faça de sua vida uma oração de caridade, de amor. Deixe-se amar pelo Senhor, entregue-se ao amor como criança, como amado no colo da amada reclinado.

> *Esquecida, quedei-me,*
> *o rosto reclinado sobre o Amado;*
> *tudo cessou. Deixei-me,*
> *Largando meu cuidado*
> *por entre as açucenas olvidado.*
>
> *Noite 9*

É o momento em que o Senhor lhe chama a sair de você. Nada mais às pessoas, mas tudo a Deus e por ele.

Saboreie estes versos de João da Cruz que parecem duros, mas na verdade são ricos de mel, é só quebrar a casca para saborear o conteúdo:

> Para chegares a saborear tudo,
> não queiras ter gosto em coisa alguma.
> Para chegares a possuir tudo,
> não queiras possuir coisa alguma.
> Para chegares a ser tudo,
> não queiras ser coisa alguma.

Para chegares a saber tudo,
não queiras saber coisa alguma.
Para chegares ao que não gostas,
hás de ir por onde não gostas.
Para chegares ao que não sabes,
hás de ir por onde não sabes.
Para vires ao que não possuis,
hás de ir por onde não possuis.
Para chegares ao que não és,
hás de ir por onde não és.
Modo de não impedir o tudo:
quando reparas em alguma coisa,
Deixas de arrojar-te ao tudo.
Porque para vir de todo ao tudo,
hás de negar-te de todo em tudo.
E quando vieres a tudo ter,
hás de tê-lo sem nada querer.
Porque se queres ter alguma coisa em tudo,
não tens puramente em Deus teu tesouro.
1Subida 13,11-12

Volte ao seu trabalho decidido a permanecer no amor de Deus... e que nada e ninguém possa separar-nos deste amor. Pai nosso...

O amor não consiste em sentir grandes coisas, mas em despojar-se e sofrer pelo Amado.

10º DIA

Na chama viva do Espírito

Oh! Chama de amor viva
que ternamente feres
de minha alma no mais profundo centro!
Pois não és mais esquiva,
acaba já, se queres.
Ah! Rompe a tela deste doce encontro.
Oh! Cautério suave!
Oh! Regalada chaga!
Oh! Branda mão!
Oh! Toque delicado
que a vida eterna sabe
e paga toda dívida!
Matando, a morte em vida me hás trocado.
Oh! Lâmpadas de fogo
em cujos resplendores
as profundas cavernas do sentido
– que estava escuro e cego –
com estranhos primores
calor e luz dão junto a seu Querido!
Oh! Quão manso e amoroso
despertas em meu seio
onde tu só secretamente moras:

nesse aspirar gostoso,
de bens e glória cheio,
Quão delicadamente me enamoras!

São João da Cruz, *Chama Viva de Amor*

Meu testemunho é verdadeiro

O que era desde o princípio, o que ouvimos, o que vimos com os olhos, o que contemplamos e nossas mãos apalparam no tocante ao Verbo da vida – porque a vida se manifestou e nós vimos e testemunhamos, anunciando-vos a vida eterna que estava com o Pai e foi-nos manifestada –, o que vimos e ouvimos, nós também vos anunciamos a fim de que também vós vivais em comunhão conosco. Ora, nossa comunhão é com o Pai e seu Filho, Jesus Cristo. Nós vos escrevemos estas coisas para nossa alegria ser completa! A mensagem que dele ouvimos e vos anunciamos é esta: Deus é luz, nele não há trevas. Se dizemos ter comunhão com ele mas andamos nas trevas, mentimos e não praticamos a verdade. Se, porém, andamos na luz, assim como ele está na luz, estamos em comunhão uns com os outros, e o sangue de Jesus, seu Filho, purifica-nos de todo pecado. Se dizemos que em nós não há pecado, enganamos a nós mesmos e a verdade não está conosco. Se confessamos nossos pecados, fiel e justo é Deus para nos perdoar e nos purificar de toda iniquidade. Se dizemos que não pecamos, chamamos Deus de mentiroso e sua palavra não está conosco (1Jo 1,1-12).

Pausa de silêncio para refletir

João Evangelista tem o sentido profundo de Deus. Ter vivido numa íntima amizade com Jesus lhe dá direito de dizer coisas "inefáveis, maravilhosas e incompreensíveis para nós". Ele dá o seu testemunho e não se envergonha de dizer que o seu testemunho é verdadeiro porque sabe o que diz. Na escola de João Evangelista devemos aprender a dizer, a cantar e contar a nossa experiência de amor. Pode ser que seja única ou que também outros a tenham feito. O que importa é que seja nossa. Medite de olhos fechados, sem olhar a leitura sobre o texto desta carta de João. O que lhe diz, e como vivenciá-lo?

O sopro suave do Espírito Santo

A causa de padecer tanto a alma pelo desejo de Deus a este tempo é que vai chegando mais junto dele; consequentemente, vai sentindo mais o vazio de sua ausência e sofrendo trevas muito espessas no interior, onde a purifica e seca o fogo espiritual, a fim de que, purificada, possa enfim unir-se a Deus. Enquanto não apraz ao mesmo Deus esclarecer a alma com algum raio de luz sobrenatural que o revele, ela só o percebe como intolerável treva, porque estando o Senhor espiritualmente muito perto, a luz divina obscurece a luz natural com seu excesso. Tudo isso exprimiu bem Davi nestas palavras: "Nuvens e escuridão estão ao redor dele... o fogo irá diante dele" (Sl 96,2). Noutro Salmo diz: "Ocultou-se nas trevas como em seu pavilhão, e o seu tabernáculo em redor de si é como água tenebrosa nas nuvens do ar. Diante do resplendor de sua presença há nuvens, granizo e carvões em brasa" (Sl 17,12-13). Assim o sente a alma, ao aproximar-se de Deus, e quanto mais perto chega, com maior força experimenta tudo isso, até que o Senhor a faça penetrar em seus divinos resplendores por transformação de amor. Entrementes, está a alma, sempre como Jó, dizendo: "Quem me dera saber encontrar Deus e chegar até ao seu trono" (Jó 23,3). O Senhor, todavia, em sua imensa piedade alterna, na alma, trevas e vazios com regalos e consolações; porque assim como são as suas trevas, assim também é a sua luz (Sl 138,12). Com o fim de exaltar e glorificar seus escolhidos é que Deus os humilha e aflige. Deste modo, enviou ele à alma, em meio aos sofrimentos, certos raios divinos de si mesmo, com tanta glória e força de amor que a comoveram inteiramente, e toda a natureza se lhe desconjuntou. Então, naturalmente amedrontada, cheia de grande pavor, dirige ao Amado as primeiras palavras da canção seguinte que ele prossegue depois até o fim.

CANÇÃO XIII

Aparta-os, meu Amado, que eu alço o voo.
Esposo:
Oh! Volve-te, columba,
que o cervo vulnerado
no alto do outeiro assoma,
ao sopro de teu voo, e fresco toma.

EXPLICAÇÃO

Nos grandes desejos e fervores de amor que manifestou a alma nas canções antecedentes, costuma o Amado visitar a Esposa, de modo casto, delicado e amoroso, com grande força de amor. Ordinariamente, na proporção em que foram grandes os fervores e ânsias de amor na alma, soam ser também extremos os favores e visitas de Deus. Vimos como esta alma com tantos anseios desejou contemplar os olhos divinos que descreveu na canção passada; e assim o Amado, satisfazendo esses desejos, descobriu-lhe agora alguns raios de sua grandeza e divindade. Foram tão sublimes e com tanta força comunicados que a fizeram sair de si por arroubamento e êxtase. E, como no princípio, costuma isso acontecer com grande prejuízo e temor da natureza. Não podendo a alma sofrer tal excesso em corpo tão fraco, diz nesta canção: Aparta-os, meu Amado. Querendo significar: aparta de mim estes teus olhos divinos, porque me fazem voar e sair de mim mesma à suma contemplação, acima de minha capacidade natural. Assim disse, por parecer-lhe que o espírito alçava o voo do corpo, conforme seu desejo. Pede ao Amado que aparte os olhos, isto é, não lhe comunique seus divinos favores estando a alma presa ao corpo, pois não seria capaz de gozá-los à vontade; mas que os conceda naquele voo fora da carne. Em vez de satisfazer o desejo da amada, o Esposo apressou-se em impedi-lo e em cortar-lhe o voo, dizendo: Volve-te, columba, porque a comunicação recebida de mim agora não é ainda gloriosa como pretendes. Volve-te a mim, pois sou eu o Esposo a quem buscas, chagada de amor. Também eu, qual cervo ferido de teu amor, começo a mostrar-me a ti em tua alta contemplação, tomando alívio e refrigério no amor dessa tua contemplação (Cântico Espiritual 13,1-2).

Pausa de silêncio para refletir

Ao dar-nos a cruz, como mistagogo, introduz-nos no mistério da inefabilidade do Espírito Santo. Os Padres da Igreja chamam o Espírito Santo o "Deus sem rosto". É sopro que inspira suave, que nos toca, fere, ilumina e nos move a fazer o bem. Devemos aprender a seguir o ensinamento do Espírito de Deus, a reconhecer a sua voz e o seu sopro, a sermos atentos a tudo o que ele sopra ao nosso ouvido interior. Neste silêncio tente identificar o sopro do Espírito Santo e compreender o que ele lhe pede. Não seja apressado em compreender, seja atento e amoroso!

Oração salmódica

Como a corça suspira
pelas correntes de água,
assim minha alma suspira
por ti, meu Deus.
Minha alma tem sede de Deus,
do Deus vivo:
quando entrarei para ver
a face de Deus?
As lágrimas são meu pão,
dia e noite,
enquanto me repetem, todo o dia:
"Onde está o teu Deus?".
Recordo outros tempos
– para desafogo de minha alma –
quando andava entre as turbas,
peregrinando ao templo de Deus,
entre brados de alegria e de louvor
da multidão em festa.
Por que estás abatida, ó minha alma,
e gemes dentro de mim?
Espera em Deus! Ainda o aclamarei:
"Salvação da minha face e meu Deus!"

Minha alma está abatida dentro de mim;
contudo me lembro de ti,
nas terras do Jordão e do Hermon,
no monte Misar.
Um vagalhão por outro chama,
ao fragor das ressacas.
Todas as vagas e ondas
passaram sobre mim.
De dia o Senhor use de misericórdia!
De noite cantarei uma prece a Deus, que é minha vida.
Direi a Deus, meu rochedo:
"Por que me esqueceste?
Por que ando triste,
pela opressão do inimigo?".
Quando meus ossos se esfacelam,
os adversários me insultam,
perguntando-me, todo o dia:
"Onde está o teu Deus?".
Por que estás abatida, ó minha alma,
e gemes dentro de mim?
Espera em Deus! Ainda o aclamarei:
"Salvação da minha face e meu Deus!".

Sl 42

Pausa de silêncio para refletir

Este salmo pode ajudar-lhe a aumentar a "ânsia de Deus, o desejo dele" e sentir dentro de você a verdadeira saudade de Deus, como
pessoa que, com sua força, inunda o seu coração. O fruto mais belo
da experiência de Deus é a paz. Se você tem essa paz consigo, com
Deus e com os outros, é sinal de que Deus habita no seu coração.

Contemple o seu ser na sua totalidade para compreender melhor o projeto que Deus tem para você. Não interfira na ação de Deus, seja dócil como o barro nas mãos do oleiro.

Oração contemplativa

Abre o coração à luz viva do Espírito, a chama que fere, que enamora de Deus. Seja anunciador corajoso e destemido do evangelho, seja caminho de libertação para todos.

Pense em alguém que necessita de se reencontrar consigo mesmo, que precisa voltar-se para Deus e que precisa ser perdoado e dar o seu perdão. Seja você mesmo intercessor diante de Deus.

Reze lentamente o *Pai-nosso* e volte para as suas ocupações com o coração em paz, na calma, na serenidade, dando espaço ao Espírito Santo, que quer iluminá-lo e fortalecê-lo, queimar seus pecados e torná-lo uma luz nas noites dos irmãos.

Enquanto a pessoa não se despojar de tudo, não terá capacidade para receber o Espírito de Deus em pura transformação.

11º DIA

A verdadeira fonte que eu desejo

Prepare-se como de costume para entrar na oração. Silencie o coração, as paixões, os sentimentos e centrar a sua atenção somente em Deus e unicamente nele. É preciso neste dia adentrar as espessuras para beber da fonte verdadeira da água viva, Cristo, que você mais deseja.

Não terá mais sede

Jesus lhes respondeu: "Na verdade eu vos digo: não foi Moisés que vos deu o pão do céu. Meu Pai é que vos dá o verdadeiro pão do céu, pois o pão de Deus é aquele que desce do céu e dá vida ao mundo". Disseram-lhe então: "Senhor, dá-nos sempre desse pão".

Jesus respondeu: "Eu sou o pão da vida. Quem vem a mim já não terá fome, e quem crê em mim jamais terá sede. Mas eu já vos disse: vós me vedes e não credes (Jo 6,32-36).

Pausa de silêncio para refletir

Esse texto pequenino de João Evangelista é cheio de mistério e de vida. Quais são as fomes que você percebe dentro do seu coração? Quais as sedes? De justiça ou de injustiça?

De amor ou de ódio? De graça ou de pecado? Precisamos ser honestos conosco, não enganar e nem nos enganar. Dizer o que sentimos. Deus nos quer "desnudos" diante dele. Ele nos conhece e nos ama como somos e não como deveríamos ser.

Mesmo de noite

Que bem sei eu a fonte que mana e
corre mesmo de noite.
1. Aquela eterna fonte está escondida,
mas bem sei onde tem sua guarida,
mesmo de noite.
2. Sua origem não a sei pois não a tem,
mas sei que toda origem dela vem,
mesmo de noite.
3. Sei que não pode haver coisa tão bela,
e que os céus e a Terra bebem dela,
mesmo de noite.
4. Eu sei que nela o fundo não se pode achar,
e que ninguém pode nela a vau passar,
mesmo de noite.
5. Sua claridade nunca é obscurecida,
e sei que toda a luz dela é nascida,
mesmo de noite.
6. Sei que tão caudalosas são suas correntes,
que céus e infernos regam, e as gentes,
mesmo de noite.
7. A corrente que desta fonte vem
é forte e poderosa, eu sei-o bem,
mesmo de noite.

8. A corrente que destas duas procede,
sei que nenhuma delas a precede,
mesmo de noite.
9. Aquela eterna fonte está escondida
neste pão vivo para dar-nos vida,
mesmo de noite.
10. De lá está chamando as criaturas,
que nela se saciam às escuras,
mesmo de noite.
11. Aquela viva fonte que desejo,
neste pão de vida já a vejo,
mesmo de noite.

Poesia 8

Pausa de silêncio para refletir

Esta poesia de João da Cruz não é para ser comentada, mas sim para ser vivida e penetrada no seu sentido escondido, o que se pode fazer só pelo caminho da fé. Tudo exige fé diante de Deus. A nossa razão chega até certo momento além do qual só a fé pode-nos guiar e nos toma pela mão.

Vá gravando no seu coração algumas frases de João da Cruz e faça dele o seu mestre da fé.

Oração salmódica

A teu povo, pelo contrário, tu o alimentaste com o alimento dos anjos: de graça enviastes do céu o pão já preparado, que proporcionava todas as delícias e satisfazia a todos os gostos. A substância que lhes deste manifestava a doçura com que tratas teus filhos: acomodando-se ao gosto de quem a consumia, ela se transformava no que cada um desejasse.

Desse modo, Senhor, teus filhos, a quem amas, ficaram sabendo que não são as diversas espécies de frutos que alimentam os homens, mas sim a tua palavra, que preserva os que creem em ti. Com efeito, teus julgamentos são grandiosos e impenetráveis; por isso, as almas sem instrução se extraviaram (Sb 16,20-21.26; 17,1).

É a doçura do alimento que nos dá força para não parar o caminho. Procure especialmente alimentar-se da palavra de Deus, da Eucaristia e do amor aos irmãos. É percorrendo estes três caminhos que nunca se sentirá sozinho. Abre bem a boca e será saciado.

Qual o alimento para sua fé?

Costuma aprofundar a sua fé? Ou vive uma fé de criança quando necessita de alimento de adulto?

Oração contemplativa

Abandone-se em Deus, não queira saber mais do que lhe é dado saber. Não tenha medo do mistério e não se deixe agredir por ele, ame-o simplesmente. Quais dogmas da fé lhe causam mais impacto e dificuldade? Por quê? Crer é um "racional obséquio a Jesus Cristo", fonte da fé. Fixe o seu olhar em Cristo, autor e consumador da fé.

Deste modo, cercados como estamos de uma tal nuvem de testemunhas, joguemos fora todo peso e pecado que nos assedia. Corramos com perseverança para o combate que nos cabe, de olhos fitos no autor e consumador da fé, Jesus. Em vista do gozo, que se lhe oferecia, suportou a cruz sem fazer caso da ignomínia e está sentado à direita do trono de Deus. Considerai, pois, atentamente aquele que sofreu tantas contrariedades dos pecadores contra sua pessoa para não cairdes em cansaço nem desfalecerdes em desânimo (Hb 12,1-3).

Faça memória de pessoas sem fé. E memória de pessoas com fé.

Reze lentamente o *Pai-nosso* e tenha certeza de que abandonando-se no Senhor você será sempre feliz. O que não se pode compreender se ama, venera e adora.

Se a alma procura a Deus, muito mais o seu Amado a procura.

12º DIA

Seja silêncio

Preparar-se para a oração é um ritual, uma liturgia. Não tenha pressa, é como despir-se das vestes sujas de trabalho e revestir-se das vestes litúrgicas, que lhe permitem, como a veste nupcial, aproximar-se do Rei e entrar na sala do banquete. Ser silêncio para ouvir, amar e se doar. Você já sabe que o silêncio não se improvisa. Para mim é tão difícil ser silêncio, fazer silêncio. Mas por uma graça de Deus consigo, embora muitos não acreditem, entrar em mim, fechar a porta de tudo com rapidez. É dentro de nós que se faz território sagrado, e é aí que celebramos a liturgia da aliança.

Conduzir-te-ei ao deserto

Procure entrar em oração como já está fazendo. Deixando tudo, não permitindo que as coisas atrapalhem o encontro com o Senhor. Não tenha medo de nada. Na oração se vai só para estar com Deus, nem para falar muito e nem para falar pouco. É o Espírito Santo que nos coloca no coração o que devemos dizer e como devemos dizer. É o grito de socorro ou de confiança, de amor ou de súplica. É estar a sós.

"Para mim a oração não é senão tratar de amizade – estando muitas vezes tratando a sós – com quem sabemos que nos ama" (Santa Teresa de Jesus, Vida 8,5).

Seja silencioso e muito amoroso com o Senhor que lhe ama.

Por isso, eu mesmo a seduzirei,
conduzirei ao deserto
e lhe falarei ao coração.
Lá lhe restituirei suas vinhas
e o vale de Acor será uma porta de esperança.
Lá ela responderá como nos dias da juventude,
como no dia em que subiu do Egito.
Naquele dia – oráculo do Senhor –
tu me chamarás "meu marido"
e já não me chamarás "meu Baal".
Afastarei de sua boca os nomes dos baals
para já não serem lembrados os seus nomes.
Naquele dia selarei em favor deles uma aliança
com os animais selvagens,
com as aves do céu e com os répteis da terra.
Exterminarei da face da Terra o arco, a espada e a guerra,
e os farei habitar em segurança.
Eu te desposarei para sempre;
eu te desposarei na justiça e no direito,
no amor e na ternura.
Eu te desposarei na fidelidade
e conhecerás o Senhor.

Os 2,16-22

Pausa de silêncio para refletir

O silêncio seduz, mas temos medo dele. O silêncio é um espelho. As pessoas têm medo de se olhar no espelho e, no entanto, ele nos reserva duas surpresas: a primeira é que não somos tão bonitos como pensamos, e a outra é que não somos tão feios como os outros acham. É necessário fazer desta leitura o nosso espelho e ver se nós queremos que o Senhor renove conosco a aliança e faça de novo um caminho de amor e de escuta. Saiba contemplar-se neste silêncio de amor, neste deserto, e acolha o convite do Senhor, que quer se unir na fidelidade para sempre.

Trabalhar e calar

A Ana de Jesus e às demais Irmãs Carmelitas Descalças do Convento de Beas:

Jesus e Maria estejam em suas almas, minhas filhas em Cristo. Muito me consolei com vossa carta. Que Nosso Senhor vo-lo pague.

Se não lhes escrevi, não foi por falta de vontade, pois desejo sinceramente o vosso aproveitamento, e sim por me parecer que o que já se disse e se escreveu é suficiente para executar o que importa; e o que falta – se é que algo está faltando – não é o escrever e o falar, pois isso, ordinariamente, sobra, mas o calar e obrar. Além do que, o falar distrai, enquanto o calar e obrar recolhem e fortalecem o espírito. E, assim, logo que uma pessoa sabe o que lhe disseram para o seu aproveitamento, já não tem necessidade de ouvir nem de falar, e sim de executar deveras, com silêncio e cuidado, em humildade, caridade e desprezo de si mesma. E não andar, logo depois, em busca de outras coisas que não servem senão para satisfazer o apetite no exterior (e ainda sem consegui-lo) e deixar o espírito fraco e vazio, sem virtude interior. E daqui vem que não aproveitam nem de uma coisa e nem de outra (Carta 22).

Pausa de silêncio para refletir

João da Cruz é mestre de silêncio. Ele sabe que sem o silêncio não poderemos ouvir ao Senhor. Por isso o silêncio para ser eficaz deve ser total, atingir todos os nossos sentidos internos e externos. É o silêncio do coração, da imaginação, da palavra e da memória. Ser silêncio para que possamos ouvir a voz sutil, doce, do rouxinol.

E o aspirar da brisa,
do doce rouxinol a voz amena,
o souto e seu encanto,
pela noite serena,
como chama que consuma sem dar pena.

Esse aspirar da brisa é uma capacidade que, segundo a própria alma o diz, lhe será dada por Deus, na comunicação do Espírito Santo. E este que, a modo de sopro, com sua aspiração divina, levanta a alma com grande sublimidade, penetrando-a e habilitando-a a aspirar, em Deus, aquela mesma aspiração de amor com que o Pai aspira no Filho, e o Filho no Pai, e que não é outra coisa senão o próprio Espírito Santo. Nesta transformação, o divino Espírito aspira a alma, no Pai e no Filho, a fim de uni-la a si na união mais íntima. Se a alma, com efeito, não se transformasse nas três divinas Pessoas da Santíssima Trindade, num grau revelado e manifesto, não seria verdadeira e total a sua transformação. Essa aspiração do Espírito Santo na alma, com que Deus a transforma em si, causa-lhe tão subido, delicado e profundo deleite que não há linguagem mortal capaz de exprimi-lo;

nem o entendimento humano, com a sua natural habilidade, pode conceber a mínima ideia do que seja. Na verdade, mesmo o que se passa na transformação a que a alma chega nesta vida é indizível; porque a alma, unida e transformada em Deus, aspira, em Deus, ao próprio Deus, naquela mesma aspiração divina com que Deus aspira em si mesmo a alma já toda transformada nele (Cântico Espiritual 39,3).

Amar a Deus no silêncio para sermos amados no silêncio.

Oração salmódica

Senhor, meu coração não é pretensioso,
nem meus olhos são altivos.
Não aspiro a grandezas
nem a proezas acima de meu alcance.
Antes modero e tranquilizo minha alma;
como a criança saciada, no colo da mãe,
assim tenho a alma dentro de mim, como criança saciada.
Espere Israel pelo Senhor
agora e sempre!

Sl 130

Pausa de silêncio para refletir

Entre todos os Salmos este é a pérola dos místicos e contemplativos. Ele nos mergulha em Deus depois de um longo trabalho ascético. É necessário dizer muitos "nãos" para saber dizer "sim" ao amor que borbulha em nós como água cristalina e viva. É o abandono, o aconchego e o abraço de Deus, Pai e Mãe, que nos envolvem como nunca.

Deixe que o Senhor ame você. Não tenha pressa de sair deste amor ou de romper este enamoramento.

Oração contemplativa

Depois de ter ouvido a palavra de Deus e do mestre João da Cruz nada mais nos resta a fazer senão entrar na silenciosa e saborosa contemplação. Nada de especial. Contemplação é dom de Deus que deve ser procurado e deve ser acolhido quando ele vier. O rezar depende de nós, a contemplação depende da gratuidade do Senhor que nos leva a esta divina mesa e ao banquete do amor infinito.

Neste momento pense, chame à sua memória os momentos deliciosos de sua oração para agradecer e os momentos de deserto e de noite para agradecer também. De Deus se agradece tudo, tanto o sol quanto a tempestade, tanto a alegria como a tristeza. Ele sabe como purificar a nossa alma.

Faça vir à memória palavras bíblicas ou de outros pensamentos que sejam como chuva que lentamente cai na terra seca do coração.

Como a chuva e a neve descem do céu,
e para lá não voltam, mas regam a terra,
para ela ficar fértil e produtiva,
para dar semente ao semeador e pão para comer,
assim acontece com a palavra que sai de minha boca:
não volta para mim chocha,
sem ter realizado a minha vontade,
sem ter cumprido a sua missão
Is 55,10-11.

Reze o *Pai-nosso* contemplando e observando palavra por palavra.

Volte ao seu trabalho fazendo o compromisso de ser silêncio e ação: poucas sejam as palavras, muitos sejam os atos que manifestam a sua vida de intimidade com o Senhor, o amado.

Deus é simplicíssimo, por isso nos ama com simplicidade.

13º DIA

O amor repartido

Prepare o seu coração. Para entrar no santuário do seu coração feche as portas. Tome consciência como nunca de que você está diante da luz de Deus, diante do amor do Cristo e diante da força do Espírito Santo. Está envolvido na Santíssima Trindade. Tudo é amor. Procure visualizar este encontro de amor. Tente entender o que é para você o amor e o que é o amor de verdade. Anos e anos a fio tenho tentado compreender o que é o amor, esforçando-me para amar, percorrendo o caminho estreito do amor, errando muitas vezes no amar, mas sempre recomeçando com imenso desejo de amar. Não sei se sei amar, mas com certeza sei amar melhor e mais do que em outros tempos da vida. As dificuldades, lutas e pecados me têm ajudado a discernir o verdadeiro do falso amor. É falso amor a procura de si e do prazer. É verdadeiro amor a procura só de Deus e somente dele, e Nele encontramos os outros.

Eu vos chamo meus amigos

Este é o meu mandamento: amai-vos uns aos outros como eu vos amei. Ninguém tem maior amor do que aquele que dá a vida por seus amigos. Vós sois meus amigos, se fizerdes o que vos mando. Já não vos chamo escravos, porque o escravo não sabe o que faz o seu senhor. Eu vos chamo amigos porque vos dei a conhecer tudo o que ouvi de meu Pai. Não fostes vós que me escolhestes, mas fui eu que vos escolhi. Eu vos destinei para irdes dar fruto e para que vosso fruto permaneça, a fim de que ele vos dê tudo o que pedirdes ao Pai em meu nome. É isto que eu vos mando: que vos ameis uns aos outros (Jo 15,12-17).

Pausa de silêncio para refletir

Estas palavras de Jesus nunca serão assimiladas suficientemente. É necessário gravá-las a ferro e fogo no nosso coração e fazer que Deus entre plenamente em nós com sua força de amor e que o Espírito Santo nos ilumine para que nos seja permitido entrar no mais íntimo e secreto. É uma doutrina íntima, secreta, que somente é revelada aos "amigos de Jesus". A condição para sermos amigos dele é participar de todo o destino da vida de Cristo e seguir os seus passos, tanto na alegria como no sofrimento e na cruz.

O amor com amor se paga

Quanto mais Deus quer dar-se, tanto mais desperta em nós o desejo dele, até deixar-nos vazios para encher-nos de seus bens.

*

A alma que verdadeiramente ama a Deus não deixa de fazer o que pode para achar o Filho de Deus, seu Amado. Mesmo depois de haver empregado todos os esforços, não se contenta e julga não ter feito nada.

*

Ó Senhor, Deus meu! Quem te buscará com amor tão puro e singelo que deixe de te encontrar, conforme o desejo de sua vontade, se és tu o primeiro a mostrar-te e a sair ao encontro daqueles que te desejam?

*

A alma que busca a Deus e permanece em seus desejos e comodismo busca-o de noite e, portanto, não o encontrará. Mas quem o busca através das obras e exercícios da virtude, deixando de lado seus gostos e prazeres, certamente o encontrará, pois o busca de dia.

*

O amor consiste em despojar-se e desapegar-se, por Deus, de tudo o que não é ele.

*

A fé e o amor são os dois guias de cego que te conduzirão, através de caminhos desconhecidos, até os segredos de Deus.

*

O amor não consiste em sentir grandes coisas, mas em despojar-se e sofrer pelo Amado.

*

O amor não cansa nem se cansa.

*

Onde não há amor, põe amor e colherás amor.

*

Para quem ama a morte não pode ser amarga, pois nela se encontram todas as doçuras e alegrias do amor. Sua lembrança não é triste, mas traz alegria.

Não apavora nem causa sofrimento, pois é o término de todas as dores e o início de todo bem.

*

Para se progredir, do que mais se necessita é saber calar diante de Deus... a linguagem que ele melhor ouve é a do silêncio de amor.

*

No ocaso da vida serás examinado sobre o amor. Aprende a amar a Deus como ele quer ser amado.

*

Quando a alma deseja a Deus com toda a sinceridade, já possui o seu Amado.

*

É humilde quem se esconde no seu nada e sabe abandonar-se em Deus.

*

Quando tiveres algum aborrecimento e desgosto, lembra-te de Cristo crucificado e cala.

*

A pessoa crucificada interior e exteriormente com Cristo viverá feliz e satisfeita e, na paciência, possuirá a sua alma.

*

Se quiseres chegar a possuir Cristo, jamais o busques sem a cruz.

*

"O olhar de Deus é amar e conceder favores."

*

O amor é a união do Pai e do Filho: e assim é a união da alma com Deus.

∗

O olhar de Deus produz na alma quatro bens, isto é, esse olhar a purifica, favorece, enriquece e ilumina. É como o sol, que, dardejando na Terra os seus raios, seca, aquece, embeleza e faz resplandecer os objetos.

Pausa de silêncio para refletir

Cada pensamento de João da Cruz é fruto de um longo caminho de purificação. O amor, para ser verdadeiro, deve ser purificado, deve ser limpo, e isto acontece somente no crisol da cruz. O amor não nasce à primeira vista, mas tem todas as etapas que o mesmo João da Cruz apresenta: busca, enamoramento, noivado, matrimônio espiritual. Somente quem entra na união sabe o que é amor. A alma não mais se percebe capaz de viver sem "amar".

Pense compreender o amor, como ama e como é amado pelos outros.

Pense nos seus amigos um a um, especialmente naqueles que, por motivos vários, por si mesmos o deixaram ou você deixou... por quê?

Oração sálmica

Louvai, servos do Senhor,
louvai o nome do Senhor!
Bendito seja o nome do Senhor
agora e para sempre!

Desde o nascer do sol até o acaso,
seja louvado o nome do Senhor!
O Senhor eleva-se acima de todas as nações,
e sua glória acima do céu.
Quem é igual ao Senhor nosso Deus?
Ele se assenta nas alturas
e lança o olhar
sobre o céu e a Terra.
Levanta do pó o desvalido,
do monturo tira o indigente
para sentá-lo com os nobres,
com os nobres de seu povo.
Instala no lar a mulher estéril,
como ditosa mãe de família.
Aleluia!

Sl 112

Pausa de silêncio para refletir

Esse salmo é bom para relembrar a grandeza de Deus e a necessidade que temos de louvá-lo e bendizê-lo. Nunca tenhamos receios de louvar a Deus demais. Especialmente o louvor deve passar pela pessoa de Jesus, nele, por ele e com ele. Mas também podemos convidar a louvar o Senhor a Maria Santíssima, aos anjos e santos todos juntos. "Terra e céu, bendizei o Senhor!"

Relembre os momentos de louvor mais marcantes de sua vida.

Oração contemplativa

Deixe que o amor penetre em você, saboreie o amor e particularmente tente compreender as purificações necessárias no seu amor para com Deus e para com os outros. Procure ser amigo de Deus, "amigo forte", como diz Santa Teresa. Ou ainda como ela afirma: "servo do amor".

Sem dúvida, aqueles a quem muito quer Deus leva por caminhos de padecimentos e quanto mais os ama, maiores são estes, e não há razão para crer que Ele desdenhe os contemplativos, porque por sua boca os louva e tem por amigos. É absurdo crer que o Senhor admita como amigos íntimos pessoas comodistas e que não sofrem (Caminho 18,1-2).

Falando agora dos que começam a ser servos do amor (que não me parece outra coisa além de nos decidirmos a seguir por esse caminho de oração Àquele que tanto nos amou), considero uma dignidade tão grande que sinto enorme prazer só de pensar nela; porque o temor servil logo desaparece se passamos por esse primeiro estágio como devemos. Ó Senhor de minha alma e bem meu! Por que não quisestes que, determinando-se a amar-vos – fazendo tudo o que pode para deixar o mundo e se dedicar ao amor de Deus –, a alma não gozasse logo a elevação a esse amor perfeito (Vida 11,1)?

Não se deixe contristar por não amar, recomece a amar sempre de novo com maior intensidade. Ter amigos para se abrir, ter amigos para partilhar e ter amigos para carregar juntos o peso do dia. Contemple cada amigo, mas nunca transforme a amizade na busca de si mesmo ou seus amigos em "seu uso privado".

Concede-me, Senhor, a graça de ser teu amigo e ser amigo de todos! Que eu nunca me deixe manipular pelos amigos e que nunca manipule ninguém! Amém!

Reze o *Pai-nosso* unido a todos os amigos e amigas.

Volte serenamente ao trabalho e você vai sentir a presença viva dos amigos como força e ânimo no caminho. Somos caminheiros pelas estradas da vida como os discípulos de Emaús, necessitamos da presença silenciosa e discreta do amigo Jesus, ao qual dizemos: "Fica conosco, Senhor!".

Nesse mesmo dia, dois dos discípulos estavam a caminho de um povoado chamado Emaús, distante uns doze quilômetros de Jerusalém. Eles conversavam sobre todos esses acontecimentos. Enquanto conversavam e discutiam, o próprio Jesus se aproximou e pôs-se a acompanhá-los. Seus olhos, porém, estavam como que vendados, e não o reconheceram. Perguntou-lhes então: "Que conversa é essa que tendes entre vós pelo caminho?". Tristes, eles pararam. Tomando a palavra um deles, de nome Cléofas, respondeu: "Tu és o único peregrino em Jerusalém que ainda não sabe o que aconteceu lá nestes dias?". Ele perguntou: "O que foi?". Eles disseram: "A respeito de Jesus de Nazaré, que se tornou um profeta poderoso em obras e palavras diante de Deus e de todo o povo. Nossos sumos sacerdotes e nossos chefes o entregaram para ser condenado à morte e crucificado. Nós esperávamos que fosse ele quem iria libertar Israel. Agora, porém, além de tudo, já passaram três dias desde que essas coisas aconteceram. É verdade que algumas de nossas mulheres nos assustaram. Elas tinham ido de madrugada ao túmulo e não encontraram o corpo. Voltaram dizendo que tinham tido uma aparição de anjos e que estes afirmaram estar ele vivo. Alguns dos nossos foram ao túmulo, acharam tudo como as mulheres tinham dito; mas não o viram".

E Jesus lhes disse: "Ó homens sem inteligência e de coração lento para crer o que os Profetas falaram. Não era necessário que o Cristo sofresse tudo isso para entrar na sua glória?". E, começando por Moisés e por todos os Profetas, foi explicando tudo que a ele se referia em todas as Escrituras. Quando se aproximaram do povoado para onde iam, Jesus fez menção de seguir adiante. Mas eles o obrigaram a parar: "Fica conosco, pois é tarde e o dia já está terminando". Ele entrou para ficar com eles.

E aconteceu que, enquanto estava com eles à mesa, tomou o pão, rezou a bênção, partiu-o e lhes deu. Então, abriram-se os olhos deles e o reconheceram, mas ele desapareceu. Disseram então um para o outro: "Não nos ardia o coração quando pelo caminho nos falava e explicava as Escrituras?". Na mesma hora se levantaram e voltaram para Jerusalém (Lc 24,13-33).

Em teu recolhimento interior, regozija-te com ele, pois ele está muito perto de ti.

14º DIA

Caminha na minha presença e sê perfeito

O texto do Gênesis 17,1 é sem dúvida o mais antigo convite à santidade, à perfeição, formulado por Deus a Abrão no início de sua caminhada nômade na busca do Senhor. "Anda na minha presença e sê perfeito." Um caminho muitas vezes obscuro, de fé, de desconhecimento, mas sempre apoiado sobre a palavra do Senhor. Abrão é o homem que não teme e não se deixa amedrontar por nada. Ele sabe que deve avançar, embora não saiba para onde.

Coloque-se em oração procurando fazer o devido silêncio e atenção ao Senhor que lhe quer dar o projeto de vida da perfeição. E para que isso se faça realidade é necessário ouvir a voz de Deus: "Sai da tua terra e vai para onde eu te mostrarei!".

Se alguém me ama...

"Quem recebe os meus mandamentos e os observa, esse é que me ama. Quem me ama será amado pelo meu Pai. Eu também o amarei e me revelarei a ele."

Judas, não o Iscariotes, perguntou-lhe: "Senhor, por que razão te manifestarás a nós e não ao mundo?".

"Disse-vos estas coisas enquanto estou convosco. Mas o Paráclito, o Espírito Santo que o Pai enviará em meu nome, ele vos ensinará tudo e vos trará à memória tudo quanto eu vos disse" (Jo 14,21-22.25-26).

Pausa de silêncio para refletir

A maior alegria é saber com certeza que Deus habita dentro de nós, na sua manifestação trinitária, e que nós somos chamados a receber a Trindade com o amor profundo e a adoração que ela merece. É o prostrar-se com o rosto por terra, sabendo que o Senhor se dá a conhecer aos que amam e vivem a sua palavra. A missão do Espírito Santo é relembrarnos tudo o que o Senhor nos tem dito.

Faça silêncio e peça ao Espírito Santo que lhe lembre tudo o que Jesus disse e que está esquecido.

Na adega interior

Essa adega, mencionada pela alma, é o mais extremo e íntimo grau de amor a que ela pode chegar nesta vida. Esta é a razão de dar-lhe o nome de adega interior, isto é, a mais íntima; donde se conclui que há outras, menos interiores, a saber, os graus de amor pelos quais se sobe até esta última. Podemos classificar estes graus ou adegas de amor em número de sete; a alma os possui todos, quando se acha na posse perfeita dos sete dons do Espírito Santo, segundo a sua capacidade para os receber. Assim, quando a alma chega a possuir em perfeição o espírito de temor, tem igualmente em perfeição o espírito de amor, pois esse temor, que é o último dos sete dons, é filial e, sendo temor perfeito de filho, procede do amor perfeito do Pai. Vemos que a Sagrada Escritura, quando quer dizer que alguém é perfeito na caridade, chama-o temente a Deus. Donde Isaías, profetizando a perfeição de Cristo, disse: "Será cheio do espírito do temor de Deus" (Is 11,3). E também S. Lucas chama ao velho Simeão de timorato: "Era varão justo e timorato" (Lc 2,25). E o mesmo é dito de muitos outros (Cântico Espiritual 26,2-3).

Pausa de silêncio para refletir

O mestre João da Cruz nos convida a descer na adega interior. Que é esta adega? O nosso coração, onde nos encontramos com o nosso eu, com as criaturas e especialmente com Deus. É preciso "beber" do Amado. É esta profundidade de amor que ninguém pode compreender, mas é o licor do amor de Deus que vai penetrando nas veias de todo o nosso ser e nos embriaga de amor suavíssimo.

Deixe-se embriagar desse suave amor e você será transformado, "endeusado".

Oração sálmica

Já não te chamarão "Repudiada",
e tua terra já não será chamada "Abandonada";
serás chamada, isto sim, "Minha favorita",
e tua terra terá o nome de "Desposada".
Pois o Senhor te concede o seu favor,
e tua terra será desposada.

Pois como o jovem se casa com uma moça,
assim o teu arquiteto te desposa,
e como o noivo se alegra com a noiva,
teu Deus se alegra contigo.
Sobre tuas muralhas, Jerusalém, coloquei sentinelas,
nem de dia nem de noite,
jamais poderão ficar caladas:
"Vós que deveis lembrar ao Senhor,
não vos deis repouso!
Tampouco o deixeis em paz,
enquanto não restaurar Sião,
enquanto não tornar Jerusalém
famosa na terra!".

Is 62,4-7

Pausa de silêncio para refletir

Releia com amor único e satisfação incomparável este texto do profeta que nos fala de intimidade de matrimônio. É a sedução do amor de Deus. "Seduziste-me, Senhor, e eu me deixei seduzir!" Nada de mais belo que ser conquistado por Deus e fazer dele o centro da própria vida. Mesmo não pensando, estamos pensando nele; mesmo não falando dele, estamos falando dele. Nada podemos mais fazer senão partir dele para chegar a ele. Renove o seu amor definitivo ao Senhor, mesmo que você esteja casado ou pretenda se casar, seja qual for a sua situação. O amor de Deus é sempre esponsal.

Oração contemplativa

Que o Senhor nos reedifique e nos faça criaturas novas, restaure o templo do nosso coração tantas vezes destruído pelo pecado. Entre dentro de você e contemple o Senhor dentro de você. Caminhe lentamente rumo à "adega mais interior" ou "morada central do castelo", como prefere Teresa de Ávila, e aí esteja por muito tempo, em adoração mansa, doce e suave da Santíssima Trindade. Passe em visão todas as partes do seu "templo" que devem ser restauradas, purificadas.

Senhor, opera em nós transformações radicais para que sejamos sinais vivos do teu amor no mundo! Sejamos palavras silenciosas!

Reze o *Pai-nosso* e volte a suas ocupações com a serenidade de quem sabe que não vai sozinho, mas vai com a Santíssima Trindade.

É mais precioso aos olhos do Senhor e da alma e de maior proveito para a Igreja uma partícula de puro amor do que todas as outras obras juntas.

15º DIA

Não me sacio de tua beleza

Esse caminho se faz mais belo, mais sedutor, porque estamos chegando ao centro do amor: saciar-nos da beleza de Deus. E imediatamente depois de ter-nos saciado ter ainda fome desta beleza. Deus não nos satisfaz uma vez para sempre. Precisamos ser "buscadores" do seu rosto e do seu amor. Prepare-se com mais intensidade de amor para entrar em oração. Desocupe, esvazie o seu coração. Nada pode ficar a não ser a sede de Deus. E acolhe tudo com profundo amor e total dedicação. Quando recebemos alguém muito amado preparamos a casa do melhor modo e queremos que o hóspede se sinta à vontade.

Mostra-me a tua glória

O Senhor disse a Moisés: "Farei também isto que pediste, pois gozas de meu favor, e eu te conheço pelo nome". Moisés disse: "Mostra-me a tua glória!". E o Senhor respondeu: "Farei passar diante de ti toda a minha bondade e proclamarei meu nome, 'Senhor', na tua presença, pois favoreço a quem quero favorecer e uso de misericórdia com quem quero usar de misericórdia". E acrescentou: "Não poderás ver minha face, porque ninguém me pode ver e permanecer vivo". O Senhor disse: "Aí está o lugar perto de mim! Tu estarás sobre a rocha. Quando a minha glória passar, eu te porei na fenda da rocha e te cobrirei com a mão enquanto passo. Quando eu retirar a mão, verás as minhas costas. Minha face, porém, não se pode ver" (Êx 33,17-23).

Pausa de silêncio para refletir

Todos os místicos têm uma preferência especial por este texto, perdido no livro do Êxodo, que marca o ritmo dos contemplativos que, na amizade com Deus, cobram a mesma fidelidade de Deus. Vá buscando nesse texto as palavras que mais lhe ferem dentro e queimam a alma. Repita-as como gotas de orvalho que tanto clama o fogo da sarça nova do amor que não pode ser extinto. Demore-se muito com Deus no amor que não tem pressa e que quer que não acabe. É o desejo da morte de amor para estar para sempre com o amado.

Acaba já, se queres.

Isto é, acaba de consumar perfeitamente comigo o matrimônio espiritual por meio da tua visão beatífica – pois é esta a que a alma pede. E embora seja verdade que, neste sublime estado, ela está tanto mais conformada e satisfeita quanto maior é a transformação no amor, e nada saiba ou acerte a pedir para si, mas quer que tudo seja somente para o Amado, porque a caridade, conforme afirma São Paulo, não busca seus interesses e sim os de Deus, contudo a alma, por viver ainda na esperança, não pode deixar de sentir algum vazio. Por tal motivo, geme – embora com suavidade e deleite – tanto quanto lhe falta ainda para a perfeita posse da adoção dos filhos de Deus, a qual, uma vez alcançada, realizará a consumação de sua glória, e só então se aquietará seu desejo. Este não se pode fartar ou satisfazer nesta vida, mesmo na maior união da alma com Deus senão quando aparecer a glória divina (Sl 16,15; e Ch 1,27).

Gozemo-nos, Amado

Gozemo-nos, Amado!
Vamo-nos ver em tua formosura,
No monte e na colina,
Onde brota a água pura;
Entremos mais adentro na espessura.

Está consumada, enfim, a perfeita união de amor entre a alma e Deus, e o que ela deseja agora é empregar-se no exercício das propriedades características do amor. Fala, pois, nesta canção, com o Esposo, pedindo-lhe três coisas que são próprias do amor. A primeira é querer receber deste amor gosto e deleite, e isto pede quando diz: "Gozemo-nos, Amado".

A segunda é desejar assemelhar-se ao Amado, e o pede nas seguintes palavras: "Vamo-nos ver em tua formosura". A terceira é esquadrinhar e conhecer os mistérios e segredos do próprio Amado, e faz este pedido ao dizer: "Entremos mais adentro na espessura".

Gozemo-nos na comunicação das doçuras do amor; não somente na que já temos pela contínua união e junção de nós dois, mas naquela que redunda em exercício de amor efetivo e atual, tanto nos atos interiores da vontade em seus afetos como nas obras exteriores pertinentes ao serviço do

Amado. Esta particularidade apresenta o amor: onde quer que permaneça, sempre anda querendo gozar de seus deleites e doçuras, ou seja, exercitar-se em amar, no interior e no exterior, conforme dissemos. E a alma assim o faz, levada pelo desejo de tornar-se mais semelhante ao Amado; por esta razão, apressa-se em dizer: Vamo-nos ver em tua formosura (Cântico Espiritual 36,3-4).

Pausa de silêncio para refletir

É o desejo que, como vela acesa, queima e se consome e nos consome no amor, mas nunca termina. É o desejo de unir-se para sempre a Deus e ser nele, por ele e com ele, amor. Neste momento retome a sua caminhada destes dias de oração e deixe que o Senhor o renove e lhe dê um coração novo. Que nos arranque o coração de pedra e nos dê um coração de carne para amar e ser amados, viver a misericórdia e exercer a misericórdia.

Amar a todos em Deus é não sentir mais nada que possa separar-nos do amor de Deus, "nem Aminadab", que é o demônio, como o chama São João da Cruz. Nada pode distanciar-nos do amor.

Oração sálmica

Salmo 30

Eu te exalto, Senhor, porque me puseste a salvo,
não deixando que, à minha custa, se alegrassem os inimigos.

Senhor, meu Deus, eu te pedi auxílio,
e me curaste.
Senhor, livraste minha alma do abismo,
fizeste-me reviver, para eu não baixar ao fosso.
Cantai ao Senhor vós, seus fiéis,
louvai-o, lembrando sua santidade,
porque sua cólera dura apenas um momento,
mas seu favor, a vida inteira.
Ao entardecer manifesta-se o pranto,
mas de manhã o júbilo.
Eu, porém, dizia tranquilo:
"Não vacilarei jamais".
Em tua bondade, Senhor, te tornaste para mim
uma firme montanha,
mas ocultaste tua face, e fiquei perturbado.
A ti, Senhor, clamei,
supliquei ao meu soberano:
"De que te servirá meu sangue, quando eu descer ao fosso?
Pode, acaso, o pó louvar-te
ou proclamar tua fidelidade?
Escuta, Senhor, tem piedade de mim,
sê tu, Senhor, meu socorro!".
Mudaste meu luto em dança,
desataste meu burel e me deste um hábito de festa,
para que ressoe um canto em tua honra
e ninguém fique calado.
Senhor, meu Deus, celebrar-te-ei para sempre.

Pausa de silêncio para refletir

Nesse Salmo precisamos deter-nos muito para saber reviver os momentos de solidão, de abandono, de amor e de encontro com o Senhor. É o momento do reencontro e do reencanto com Deus. Vá saboreando palavra por palavra e celebre a memória do seu passado, das suas buscas do rosto de Deus, às vezes escondido na neblina da vida ou nas espessas nuvens das noites sem luar.

Oração contemplativa

Celebrar a bondade do Senhor, onde? Na sua vida e na vida dos outros, nas coisas no universo, para diante da beleza de uma flor ou do canto de um pássaro ou de uma cascata. Seja contemplativo, saiba ver atrás de tudo a presença do Senhor. Mas principalmente pare para contemplar as pessoas, somente elas são o retrato vivo de Deus, que nelas sofre e nelas está alegre. Pense nas pessoas de que você se lembra desde a sua juventude e com elas cante ao Senhor.

Alguém o ofendeu, machucou? Louve e bendiga o Senhor!

Reze o *Pai-nosso* e caminhe para voltar ao seu trabalho onde o Senhor lhe espera.

Não faça coisa alguma, nem diga palavra alguma, que Cristo não faria ou não diria se encontrasse nas mesmas circunstâncias.

16º DIA

Cristo vai com você e em você

Foram quinze dias de caminho e chegamos a compreender que tudo tem um objetivo: ser Cristo no mundo. Prepare-se para acolher Jesus para que ele vá com você e em você. "Permanecei no meu amor!"

Faça silêncio dentro do coração e dê toda a sua vida a Cristo para que ele possa possuí-la e agir livremente. "Não sou mais eu que vivo, mas sim Cristo que vive em mim!" É o momento da aliança, da decisão e da vida.

Rabi, come!

"Deus é espírito, e quem o adora deve adorá-lo em espírito e em verdade." A mulher disse a Jesus: "Eu sei que o Messias, que se chama Cristo, está para vir. Quando vier, ele nos fará saber todas as coisas". Disse-lhe Jesus: "Sou eu, que falo contigo".

Nisso chegaram os discípulos e se admiravam de que estivesse falando com uma mulher. Mas ninguém perguntou o que ele queria ou o que estava falando com ela. A mulher deixou o cântaro, foi à cidade e disse a todos: "Vinde ver um homem que me disse tudo o que eu fiz. Não será ele o Cristo?". Eles saíram da cidade e foram até onde estava Jesus.

Nesse meio tempo, os discípulos insistiam com ele: "Mestre, come. Mas Jesus lhes disse: 'Tenho uma comida que vós não conheceis'". Os discípulos perguntavam uns aos outros: "Será que alguém lhe trouxe alguma coisa para comer?". Jesus disse: "Meu alimento é fazer a vontade daquele que me enviou e completar a sua obra" (Jo 4,24-34).

Pausa de silêncio para refletir

Esse texto é longo, mas sem dúvida faz parte do projeto de Deus ao nos encontrarmos em situações difíceis da vida, para que possamos encontrar o verdadeiro alimento. É fazer a vontade do Pai. Releia calmamente esse texto e separe o que mais o toca. Deixe-se amar, abra-se como a samaritana e uma vida nova irá surgir. Liberte-se de todos os "cântaros" de suas seguranças para poder amar livremente.

Quais são os cântaros que o prendem? Ídolos? Pessoas? Dinheiro? Fama? Projeção? Poder?

Imitar Jesus Cristo

Primeiramente tenha sempre na alma o desejo contínuo de imitar Cristo em todas as coisas, conformando-se à sua vida, que deve meditar para saber imitá-la, e aja em todas as circunstâncias como ele próprio agiria.

Em segundo lugar, para bem poder fazer isso, se lhe for oferecida aos sentidos alguma coisa de agradável que não tenda exclusivamente para a honra e a glória de Deus, renuncie e prive-se dela pelo amor de Jesus Cristo, que, durante a vida, jamais teve outro gosto ou quis outra coisa senão fazer a vontade do Pai, a que chamava sua comida e manjar. Por exemplo: se acha satisfação em ouvir coisas em que a glória de Deus não está interessada, rejeite essa satisfação e mortifique a vontade de ouvir. Se tem prazer em olhar objetos que não o levam a Deus, afaste este prazer e desvie os olhos. Igualmente nas conversações e em qualquer outra circunstância deve fazer o mesmo. Em uma palavra, proceda deste modo, na medida do possível, em todas as operações dos sentidos; no caso de não ser possível, basta que a vontade não queira gozar desses atos que lhe vão na alma. Desta maneira há de deixar logo mortificados e vazios de todo o gosto e como às escuras. E, com este cuidado, em breve aproveitará muito.

Abrace de coração essas práticas, procurando acostumar a vontade a elas. Porque se de coração as exercitar, em pouco tempo achará nelas grande deleite e consolo, procedendo com ordem e discrição (1S 13,3-4.7).

Pausa de silêncio para refletir

É preciso abraçar a cruz de Cristo, o caminho de Cristo para chegar a viver nele e ele em você. Você está disposto? Não tenha medo de dizer "não" à espera de outro momento mais oportuno. Dizem que Santo Agostinho, ainda quando não estava decidido, dizia para o Senhor: "Dai-me a castidade, mas não ainda!". Quem sabe devemos ainda suplicar este dom da imitação de Jesus. Mas devemos suplicá-lo para que ele nos seja dado.

Oração sálmica

Naquele dia dirás:
Quero louvar-te, Senhor, porque estavas irritado contra mim,
mas tua ira cessou e tu me consolaste.
Eis o Deus de minha salvação,
confiarei e não terei medo
porque minha força e meu canto é o Senhor!
Ele se tornou a minha salvação.
Tirareis água com alegria
das fontes da salvação.
Direis, naquele dia:
Louvai o Senhor, invocai o seu nome,
fazei conhecer entre os povos os seus feitos,
recordai que seu nome é excelso.
Cantai ao Senhor porque fez coisas maravilhosas,
isto seja conhecido em toda Terra.
Exulta e grita de alegria, habitante de Sião,
porque é grande em teu meio o Santo de Israel!

Is 12,1-6

Pausa de silêncio para refletir

Quem encontrou o Amado, deixou-se possuir por ele, corre atrás não mais das coisas, mas só do amor. Por isso devemos cantar o amor. Faça silêncio em você e permaneça em adoração para que Deus se faça um com você e você um com ele. São as chamas do amor que se unem sem perder a própria identidade, mas tornando-se um.

"Que todos sejam um como tu, Pai, tu estás em mim e eu em ti, para que eles estejam em nós, e o mundo creia que tu me enviaste" (Jo 17,21).

Oração contemplativa

Silencie e faça o seu compromisso de fidelidade com Deus com as suas próprias palavras. Pode escrever este compromisso e rezá-lo todos os dias ou todos os dias recriá-lo de novo. Como você achar melhor. Permaneça em adoração do Cristo amor e amado que está dentro de você. Ele vive na medida em que nós lhe damos espaço. Ele é luz em nós, ele é amor, ele é vida, ele é o Senhor. Onde nós formos não estaremos mais sozinhos, estaremos sempre nele e ele em nós.

Reze o *Pai-nosso* e sinta-se templo da Trindade.

Pelo menos de dois em dois meses refaça este caminho procurando, quem sabe, textos novos ou usando os mesmos. Aqui está o ideal de nossa vida: Deus em nós e nós em Deus.

Amém!

Um Pastorinho, só, está penando,
privado de prazer e de contento,
posto na pastorinha o pensamento,
seu peito de amor ferido, pranteando.

Não chora por tê-lo o amor chagado,
que não lhe dói o ver-se assim dorido,
embora o coração esteja ferido,
mas chora por pensar que é olvidado.

Que só o pensar que está esquecido
por sua bela pastora é dor tamanha
que se deixa maltratar em terra estranha,
seu peito por amor mui dolorido.

E disse o Pastorinho: Aí, desditado!
de quem do meu amor se faz ausente
e não quer gozar de mim presente!
Seu peito por amor tão magoado!

Passado tempo em árvore subido
ali seus belos braços alargou,
e preso a eles o Pastor ali ficou,
seu peito por amor mui dolorido

Poesia 7